日本人が知らない最先端の「世界史」
不都合な真実編

福井義高

祥伝社黄金文庫

まえがき

日本近現代史をめぐる議論が、あまりにも日本中心であること。昨年上梓した『日本人が知らない最先端の「世界史」』と同じく、これが本書執筆の動機である。

そこで前著に引き続き、歴史認識の鎖国状態を打破すべく、日本の来し方に決定的とも言える影響を及ぼした世界政治に関する海外の研究成果を取り入れ、日本があくまで脇役として参加した20世紀世界史をめぐる、重要なしかし我が国では見過ごされがちな論点を、日本に直接関係ないものも含め取り上げる。

日本の行く末を考えるうえで、歴史に学ぶことは重要であり、本書もその一助となることを願っている。ただし、右であれ左であれ、現在の政治的立場に都合よく過去を利用しようとすれば、それこそ歴史に復讐されるであろう。暗中模索のなか、ぎりぎりの決断を余儀《よぎ》なくされた先人たちを、後知恵で安易に断罪することは厳に慎まねばならない。筆者もそうした後生の傲慢《ごうまん》に知らず知らずのうちに陥《おちい》っているに違いない。自戒を込めて記した次第である。

今でも知識人の間で根強い戦前暗黒史観によれば、獄中から転向声明を発し、共産党指導者から反共の闘士となった鍋山貞親《なべやまさだちか》は、断罪されるべき代表的敵役《かたき》であろう。しかし、彼ほど世界における日本の在り方について考え抜いた日本人は少ない。その鍋山は、戦後、「相当な悲劇でありますけれども、戦争に負けたからといって滅びた民族はまだ歴史上にない」としたうえで、こう述べている（『鍋山貞親著作集下巻』）。

軍事的、政治的敗北という火傷か、外傷のようなものが、手当を間違ったがために内臓疾患まで併発して、道徳的、精神的敗北になったならば、これがなおるのは容易でない。しかも精神的、道徳的敗北には自覚症状がないのが常であります。自分は正しいと思う。自分の考えが受け入れられたというふうに、かえって敗戦の悲劇から自分を引き離して、そうれ見ろ、俺が言った通りではないかというようなことで、いい気になるのが、これが一番おそろしい精神的、道徳的敗北である。

前著同様、読みやすさを優先し、本文に注は付していない。ただし、参照した文献は本文に明記したうえで、巻末に比較的詳細な文献一覧を載せた。孫引きは避け、原典が手元になく、インターネットを通じてアクセスすることもできない場合は、国内所蔵図書館に直接出向くか、あるいは青山学院大学図書館を通じて、国内外の機関から該当箇所のコピーを入手した。日本語で書かれた研究業績への言及が少ないのは、ひとえに筆者の不勉強による。なお、紀年は西暦を用いた。

外国語文献から引用する際は、条約も含め、原則として拙訳を用いた。既存訳を用いた場合は、本文に訳者名を明記した。引用中、［　］で括《くく》った部分は、文意を明確にするため、筆者が補った箇所である。邦語文献引用の際、固有名詞は本文と表記を統一した。中国人を除く外国人名は、最初に登場する際は姓名、それ以降は姓のみで表記した。日本人、外国人とも、一部敬称を略させていただいている。

本書は、書下ろしの第3・5章を除き、筆者が月刊誌『正論』（産経新聞社）で連載した「世界の『歴史』最前線」の一部に、加筆修正したものである。前著に引き続き、西尾《にしお》幹二《かんじ》電気通信大学名誉教授をはじめ、多くの方々に助けていただいた。この場を借りて感謝申し上げる。

平成二十九年六月吉日　一枝に

文庫版刊行に寄せて

文庫化に際し、若干の訂正・字句修正のほか、近年の政治状況に関する記述を単行本刊行後の変化を反映したものに改めたけれども、内容には一切手を加えていない。ただし、序章は歴史をめぐる言説にありがちな実証抜きの深遠な議論への問題提起に差し替え、あとがきに代えて、アジアにおける日本の誇るべき特異性を示した終章を加えた。本書および『日本人が知らない最先端の「世界史」』のもととなった月刊誌『正論』連載のなかから、単行本未収録の二編に加筆修正したものである。

令和三年九月吉日

福井《ふくい》　義高《よしたか》

目次

Ⅲ 「憲法フェティシズム」の果て

Ⅳ　「欧州共同体」という大いなる幻想

装幀／渡邊民人（TYPEFACE）
図版／J-ART

序章　深遠な議論と平凡な事実

マックス・ウェーバーの不可解な足し算

我々はウェーバー理論の根拠を
全く見つけられない

クルト・サムエルソン

宗教と資本主義の精神

イスラム原理主義が台頭し、対岸の火事とはいえない状況となってきたこともあって、日本でも宗教が社会に与える影響に関心が高まっている。よく「無宗教」だと言われる日本は、欧米やイスラム諸国のような一神教文化圏と異なり、表面的には、宗教の影響は希薄に見える。しかし、宗教的と言わないまでも、行動の背景にある精神的なものへの関心は、以前から決して低くない。日本近代化を支えた精神構造あるいはエートスは何かというのは、今も昔も知識人お気に入りのテーマである。

そして、その際に、比較対象として必ずと言ってよいほど持ち出されるのが、近代化のフロントランナーである欧米キリスト教文化圏。特に日本で不動の人気を誇るのが、マックス・ウェーバーが『プロテスタンティズムの倫理と資本主義の精神』（以下『資本主義の精神』）で展開した議論である。

日本のウェーバー研究といえば、まず、かつて丸山真男《まるやままさお》らとともに、進歩的文化人の代表格で東大経済学部教授だった大塚久雄《おおつかひさお》の名が思い浮かぶ。その大塚が、『資本主義の精神』におけるウェーバーの主張を、旧訳（岩波文庫）の解説で簡潔にまとめている。

カルヴィニズム、バプティズムその他の禁欲的プロテスタンティズム諸派の経済倫理（＝エートス）と、近代西ヨーロッパにおける資本主義発展のいわば精神的推進力となった「資本主義の精神」の間に存する内面的関連を明らかにし（略）宗教的動機がどこまで歴史的原因として、いわばそうした一筋の「横糸」として働いてきたか、を追求しようとしたものである。

しかし、この「『資本主義の精神』の形成に対して『プロテスタンティズムの倫理』が或る決定的な影響をあたえた」とする「ウェーバー・テーゼ」には、昔から多くの批判がある。

ただし、ウェーバーや、大塚久雄を始めとする内外のウェーバー・テーゼ肯定論者も、批判する否定論者も、たいてい、筆者のような凡人には理解するのが困難な、深遠で高尚な議論に終始している。意地悪な見方をすれば、水掛け論に過ぎないともいえる。

深遠な議論以前に、そもそも、ウェーバー・テーゼには実証的根拠があるのかを問うた研究も存在する。本稿では、日本であまり取り上げられることのない、こうした「散文的」実証研究を紹介したい。結論をあらかじめ申し上げておけば、「要するに、ウェーバーの議論には著しい欠陥がある」という、オハイオ州立大名誉教授リチャード・ハミルトンの言葉に尽きる（『現実の社会的誤構築』）。

なお、『資本主義の精神』から引用する際――頁数も含む――には、興味をお持ちの読者が直接参照できるように、広く読まれている大塚久雄の新訳（岩波文庫）を用いた。

ウェーバーの「推測的過去」論法

ウェーバー・テーゼに対して包括的批判を行なった学者の一人に、20世紀を代表する経済思想研究の泰斗《たいと》、元シカゴ大教授ジェイコブ・ヴァイナーがいる。

まず、ヴァイナーは、ウェーバーが多用する研究手法を批判する（『キリスト教思想と経済社会』）。

この手法は「推測的過去」（conjectural preterite）と呼ばれてきたものの利用を伴う。つまり、著者がその記述を発展させていったとしたら、おそらく「論理的に」主張していたであろうこと、行動に適用される場合は、ある人がその信仰の「論理的」帰結に従って行動していたならば、行ったであろうこと、である。これは無知に由来する議論の一種である（略）。

テレビのサスペンスドラマで、確たる証拠がない段階で犯人が吐く定番のセリフにならえば、ウェーバーの主張は「ただの臆測に過ぎない」ということである。『資本主義の精神』には膨大な注がついており、注を見れば、本文におけるウェーバーの主張を裏付ける確たる資料にたどり着けるかといえば、さにあらず。

たとえば、ウェーバーは、第1章冒頭「信仰と社会層分化」の本文でこう記している（31—32頁）。

カルヴィニズムは（略）他派に比較すれば、資本主義精神の発達を促進することが大きかったようだ。（略）スコットランドについては、バックル（略）がこの関係を強調している。

ただし、当該箇所の注では、ヘンリー・バックルには全く触れられておらず、こう書かれている（36頁注8）。

それゆえ、この関連を主張するのは決して「新しい」ことではない。（略）むしろこのことに理由もなく懐疑を抱くことの方が「新しい」ことだ。問題はこの関連を説明することなのだ。

大ウェーバーにここまで断言されると、なかなか証拠を見せてくださいとは言いにくい。しかし、自分の主張に自信がないときほど、断言調になるのも世の常。実際、ヴァイナーは、ウェーバーの主張とは全く逆に、バックルが、カルヴィニズムをスコットランドの経済発展が遅れた理由に挙げていることを突き止めた。バックルは、カルヴィニズムに支配されたスコットランドについて、こう記す（『英国文明史』）。

常に苦悩に苛まれ、考え得るすべての方法で苦しむことが（略）善良さ(goodness)の証明と見なされた。（略）こうして、17世紀のスコットランド人の国民的性格は萎縮し、ずたずたにされた(dwarfed and mutilated)。

18世紀に至るまでスコットランドが経済的に貧しい地域であったのはカルヴィニズムがその原因とする意見は、バックルに限らず、19世紀後半から20世紀初頭にかけて珍しいものではなかった。たとえば、ウィリアム・マシソンは、スコットランドの「宗教的精神は（略）産業発展に対する最も深刻な障壁であった」と、『資本主義の精神』初版公刊前の1902年に記している（『政治と宗教』）。

ウェーバーの断言とは逆に、当時、どちらかといえば、カルヴィニズムが資本主義精神の発達を促進したという意味での関連を主張することが「新しい」ことであり、この関連に懐疑を抱く、あるいは否定することの方は「新しい」ことではなかった。ウェーバーに求められていたのは、この関連を説明することではなく、まず、本当にそんな関連があるかどうかを示すことであったのだ。

実際、『資本主義の精神』は、まずこの関連を示してから、その説明に入るという構成になっている。ただし、著者序言を除き、邦訳で注も含め全357頁のうち、関連を示す箇所は、基本的に冒頭の「信仰と社会層分化」の23頁のみ、全体の十分の一にも満たない。ハミルトン教授が指摘するように、ウェーバーの「試みの根幹部分である残りの頁は、十分に立証されなかった『原因』(cause)の説明に費やされている」。

ただし、ウェーバーは『資本主義の精神』の冒頭で、「推測的過去」論法に終始しているわけではなく、本書で唯一といってよい数量分析も行なっている。「そのテーゼの根拠となる、全編でおそらくもっとも説得力のある証拠を提出している」のだ。

足し算が不得手なウェーバー

ところで、ウェーバーは、プロテスタンティズムの信仰のみが経済的繁栄をもたらす、と主張している訳ではない(『資本主義の精神』20―21頁)。

近代経済における資本所有と経営的地位を今日プロテスタントたちがより多く占めているという事実は(略)ある範囲までは歴史的な事情に、つまり、彼らが比較的有利な財産条件をすでに与えられているということの結果にすぎない(略)。

しかし、「原因と結果の関係が明らかにそうではないこと」、すなわち、プロテスタンティズムの倫理が経済的繁栄につながる資本主義精神の形成に影響を与えたことを示す現象も見られると、ウェーバーは主張する。

ウェーバーによれば、ドイツにおいては、プロテスタント家庭とカトリック家庭で、子供に与える教育の種類が異なっている。なお、以下の引用では《Gymnasium》と《Realgymnasium》に対して、大塚訳で用いられる「高等学校」と「実業高等学校」という訳語は、それぞれ「ギムナジウム」と「実業ギムナジウム」に変えてある。

「高等程度」の学校の生徒および大学志望資格者のうちカトリック信徒の占める比率が、総人口におけるカトリック使徒の比率よりも、全体としてははるかに小さいという事実は（略）歴史的な財産条件の差にもとづくところが大きいとも思えるだろう。しかし、カトリック信徒の大学志望資格者の内部でも（略）市民的営利生活向きの学校、たとえば実業ギムナジウム、実業学校、高等小学校等の課程を終了するものの比率はプロテスタントのばあいに比べてはるかに小さいし、また他面、彼らが、教養課程中心のギムナジウムでほどこされる教育をとくに好むという事実もある。（略）カトリック信徒の資本主義的営利にたずさわることが少ないという事実は、逆にこうしたことから説明されねばならないだろう。

つまり、ウェーバーは、子供の教育の選択において、カトリック家庭が教養課程中心の教育を好むのに対し、プロテスタント家庭が逆に営利生活向きの教育を好むという事実が、プロテスタンティズムと資本主義の精神の関連を表していると主張しているのだ。確かに、実際にそうした傾向があるのであれば、ウェーバー・テーゼは、決定的とは言えないまでも、重要な実証的根拠を持つといえる。

具体的には、大塚訳の22頁注1に、バーデンにおける1885年から1895年の10年間のデータに基づく、学校類型ごと宗派別にプロテスタント・カトリック・ユダヤ人の生徒（男子のみ）の占《し》める百分比の表が載っている（表序－1）。この表は弟子のマルティン・オッフェンバッハーの『信仰と社会層分化』からそのまま引用したもの。ただし、ウェーバーは誤って1885年から1891年のデータと記している。

1895年のバーデンの総人口は173万人で、宗派別シェアは、プロテスタント37%、カトリック61・3%及びユダヤ人1・5%であった（その他0・3%）。なお、ここでは、『資本主義の精神』におけるウェーバー同様、プロテスタントとカトリックの違い

表序ー1:学校ごと宗派別生徒百分比(ウェーバー)

	プロテスタント	カトリック	ユダヤ人	合計
ギムナジウム	43	46	9.5	98.5
実業ギムナジウム	**69**	31	9	109
高等実業学校	**52**	41	7	100
実業学校	49*	40	11	100
高等小学校	51	37	12	100
学校計	48	42	10	100

出典:ウェーバー(1920)21頁、オッフェンバッハー(1900)、合計欄は筆者追加;
中山訳は*を付した箇所が19

表序ー2:学校ごと宗派別生徒百分比(原資料)

	プロテスタント	カトリック	ユダヤ人	合計
ギムナジウム	44	47	9	100
実業教育校計	51	38	11	100
実業ギムナジウム	52	36	13	100
高等実業学校	52	40	8	100
実業学校	50	39	11	100
高等小学校	50	39	11	100
学校計	48	42	10	100

出典:ベッカー(1997)表2に基づき、一部筆者推計。小数点以下四捨五入

表序ー3:宗派ごと学校別生徒百分比(原資料)

	プロテスタント	カトリック	ユダヤ人	合計
ギムナジウム	41	49	39	44
実業教育校計	59	51	61	56
実業ギムナジウム	12	9	14	11
高等実業学校	4	3	3	3
実業学校	23	20	23	22
高等小学校	21	18	22	20
合計	100	100	100	100

出典:ベッカー(1997)表3に基づき、一部筆者推計。小数点以下四捨五入

に焦点を当て、ユダヤ人との違いには触れない。

戦前の日本がお手本としたドイツの（非義務教育）学校制度は複線型であり、ラテン語とギリシャ語が必修で教養教育中心の大学進学コースであるギムナジウムと、それ以外の実業教育校に大別される。後者は、ラテン語のみ必修で現代語や自然科学の比重を高めた実業ギムナジウム、古典語なしで近代的教育に特化した高等実業学校に加え、教育内容は高等実業学校同様で修学年限の短い、実業学校と高等小学校からなる。

表序－1を見ればわかるとおり、古典語中心のギムナジウムでは、カトリック（46％）がプロテスタント（43％）を上回っているのに、実業教育校では四つある学校類型すべてで、プロテスタントがカトリックを上回っている。とくに実業ギムナジウムでは、プロテスタントが69％を占めるのに対し、カトリックは31％で、その差38％と圧倒的な差がある。

そのため、ウェーバーは、自らの主張を支える重要な証拠として、69％の箇所をわざわざ太字にしている（邦訳も踏襲）。数値自体はオッフェンバッハーのものをそのまま使っているけれども、ここともう一カ所（高等実業学校の52％）を太字にしたのはウェーバーである。

しかし、何かおかしい。そう、プロテスタントとカトリックの割合に極端な差がある実業ギムナジウムの宗派別数値を合計すると、本来１００％のはずなのに、１０９％になっているのだ。ギムナジウムの宗派合計98・5％は四捨五入などによる誤差の範囲といい得るとしても、実業ギムナジウムの合計１０９％は明らかにおかしい。ところが、オッフェンバッハーの数値をそのまま記載したウェーバーは、当該箇所をわざわざ太字にまでしながら、誤りに気付かなかったようだ。

この足し算の間違いを取り上げ、最初に本格的な批判を行なったのが、スウェーデンの経済史家クルト・サムエルソンである（『経済と宗教』）。彼はこの点以外でも、鋭いウェーバー・テーゼ批判を行なっているけれども、ここでは、この論点のみを取り上げる。

サムエルソンは、プロテスタントのシェアについて、69％は誤植あるいは計算間違いであり、正しくは59％だとして、考察を進める。それでも実業ギムナジウムにおけるプロテスタントのシェアは若干高い。しかし、サムエルソンは、実業ギムナジウムのバーデン内での配置が、プロテスタントの多い都市部に偏在していることを示し、地域ごとのプロテスタント人口割合と実業ギムナジウム生徒割合がつりあっていることを示した。

ただし、カトリックに比べ、プロテスタントが農村ではなく都市に多いこと自体が、資本主義精神の表れだという反論があり得る。実業ギムナジウムの配置は原因ではなく、プロテスタンティズムがもたらす資本主義精神形成の結果というわけである。

資本主義の精神ではなく就活

しかし、話はこれで終わらない。ヴァンダービルト大のジョージ・ベッカー名誉教授は、表序－1を実際に作成したオッフェンバッハーが用いた原資料に直接当たり、驚くべき発見を行なう。

ベッカー教授は、オッフェンバッハーが表作成にあたり不可解にも除外していた、前期ギムナジウム（Progymnasium）と実業前期ギムナジウム（Realprogymnasium）の生徒をそれぞれ、ギムナジウムと実業ギムナジウムに加えて、再計算した。その結果（表序－2）、実業ギムナジウムのシェアは劇的に変化し、プロテスタントは52％に減少、逆にカトリックは36％に増加した（以下、数値は四捨五入）。四つある実業教育校ごとの宗派別のシェアは、どれもほぼ五対四であることがわかったのだ。

ベッカー教授は、さらに、学校ごとに宗派別の生徒シェアを見るだけでなく、宗派ごとに学校類型別の生徒シェアを見ることの重要性を訴える。表序－3をみれば、プロテスタントもカトリックも、進学者のほぼ半数近くがギムナジウムを選ぶ一方、四つある実業教育学校を選ぶ比率はいずれも、プロテスタントとカトリックで大きな違いがないことが見て取れる。
ウェーバーが主張するような、「カトリック信徒の（略）市民的営利生活向きの学校（略）課程を終了するものの比率はプロテスタントのばあいに比べてはるかに小さい」という事実は存在しない。計算間違いがもたらした幻だったのだ。

それでも、ウェーバー・テーゼ肯定論者は、こう主張するかもしれない。カトリックの実業教育学校進学比率がプロテスタントに比べ「はるかに小さい」とはいえないにしても、「小さい」ことは確かであり、やはり、プロテスタンティズムは資本主義の精神に一定の影響を及ぼしているのではないか、と。

しかし、実際にある程度は存在するプロテスタントに比べたカトリックのギムナジウム志向は、ベッカー教授が指摘するように、当時のドイツの社会状況から簡単に説明できる。

オットー・フォン・ビスマルクがドイツ統一後に進めた反カトリックの「文化闘争」は成功せず、19世紀の終わりごろから、逆にカトリックが勢力を盛り返し、それを反映して聖職者への需要が増える。しかも、社会の少数派であるカトリックは、プロテスタントほど世俗的栄達が望めないため、相対的に、優秀な若者が聖職を目指すことが多かった。結婚できるプロテスタントの牧師と異なり、カトリックの司祭は独身者に限られるため世襲がないことも、親が低い社会階層に属する優秀な男子の聖職者志向に拍車をかけた。

聖職者になるには、ラテン語とギリシャ語が必須であり、ギムナジウムに行かなければならない。実は、師のウェーバーと違い、弟子のオッフェンバッハーは、カトリックのギムナジウム志向を、その聖職者志望と密接に関連していることを、具体的数値とともに指摘していたのである。１８９１年から１８９４年の三年間にバーデンのギムナジウムを卒業したカトリック生徒のうち、なんと42％が神学部に進学している。一方、プロテスタント生徒の神学部進学者は14％だった。

ウェーバーが主張するほど劇的にプロテスタントと異なるわけではないものの、カトリックのギムナジウム志向は実際に存在した。ただし、それは資本主義精神に欠けていたからではなく、今日以上に社会的地位が高かった聖職者への「就活」が理由だったのである。

なお、『資本主義の精神』は、２０１０年に中山元《なかやまげん》氏の新訳が登場した。多数の訳者注が付され、ウェーバーの足し算の間違いにも触れているのではと期待したけれども、一切言及されていなかった。しかも、オリジナルにはない、新たな間違いまで付け加わっている。表序－１の実業学校のプロテスタント生徒シェアが、オリジナルの49％ではなく19％になっており、オリジナルでは正しかった宗派合計１００％が70％になってしまっている。

訳者あとがきで、中山氏は1920年の第2版に基づいて翻訳したと書いているけれども、青山学院大学図書館にある当該原本を確認したところ、ちゃんと49％になっている。ただし、2004年にドイツのベック出版社から出たペーパーバック版は、中山訳と同じ間違い、すなわち当該箇所を19％としている。したがって、邦訳出版時の誤植ではなく、中山氏は翻訳にあたって、後年に出版されたベック版その他を用いた可能性がある。いずれにせよ、訳者も編集者も、合計して70％にしかならないことをおかしいとは思わなかったのであろうか。

高尚な議論の前にまず足し算

非西洋文化圏で最初に近代化に成功した日本において、ウェーバー・テーゼが基本的に正しいことを前提として、プロテスタンティズムに対応する日本社会の宗教的・精神的バックボーンを探る試みは、今日でも続いている。

たとえば、比較的最近出版された寺西重郎《てらにしじゅうろう》一橋大名誉教授の『経済行動と宗教』は、これまでもプロテスタンティズムとの類似性を指摘されてきた鎌倉仏教に注目している。「日本人の経済行動と経済システムの特質は、平安末期以後の仏教の世俗内易行化という宗教変化のインパクトを反映して生みだされた、世俗の営みのなかに宗教的世界観・人生観を追求するための求道主義に源流を持つ」。

日本経済新聞によれば、「『経済のグローバル化が進むにつれて世界は均質になる』と唱える既存の経済学の限界を感じる専門家らの間で評価が高まっている」らしい（2015年1月25日付朝刊）。寺西教授は、数量分析を用いた日本経済史研究で知られる学界の重鎮であり、当然、これまでの思弁的議論とは距離を置いた、実証的研究成果が披露されているものと期待していたところ、筆者の期待は完全に裏切られた。

寺西教授は、まず「ウェーバーが問題としたのは資本主義の始動時のエンジンにおけるスターターとしての宗教的要素あるいは（略）近代資本主義の精神の始動のための酵母ないし強壮剤としてのピューリタニズムの役割（略）であった」とする。そして、「ウェーバーの論じたスターターの問題に関しては一応ウェーバーの主張を所与として受容した上で」、つまりウェーバー・テーゼを前提とした上で、プロテスタンティズムを鎌倉仏教に置き換えた、深遠な議論が展開される。

一方、本稿で取り上げた実証的ウェーバー・テーゼ批判は、迂闊《うかつ》ゆえ筆者が見落としている可能性はゼロではないけれども、完全に無視されている（巻末参考文献にはない）。寺西教授同様、経済学者であり、邦訳もあるサムエルソンやヴァイナー、特に米国経済学会会長まで務めた著名な経済学者である後者の業績に言及していないことは理解に苦しむ。日本の経済行動は、市場均衡を前提に組み立てられた「新古典派経済学の既存の概念枠組みだけではとらえきれない」とする寺西教授にとって、ヴァイナーのような市場原理主義者の「戯言」など問題外ということなのだろうか。

『資本主義の精神』の足し算の間違いを指摘し、ウェーバー・テーゼの実証的根拠の欠如を指摘した、サムエルソンの『経済と宗教』の邦訳が1971年に出版されてから、半世紀が経つ。当時、訳者あとがきで、田村《たむら》光三《こうぞう》明大助教授（現名誉教授）は、「本書は、資本主義とプロテスタンティズムとの間にある種の函数関係が存在した、あるいは存在しないという、広く見られる安易な信仰や俗論の上に惰眠をむさぼっている人士たちにたいする、ある種の衝撃になるだろう」と記していた。

しかし、現実にはここで紹介したサムエルソンやそれに続くウェーバー・テーゼの実証的批判は、おそらく一部の専門家を除き、日本の知識人の世界には「衝撃」どころか、ほとんど何の影響も与えなかったようである。取り上げて反論すれば墓穴を掘ることがわかっているので無視しているのか、そもそも、批判の存在さえ知らないのか。

ただし、現代のウェーバー・テーゼ肯定論者は足し算が苦手なことだけは、確かなようである。

Ⅰ　満州におけるソ連情報機関と日本

第1章　張作霖爆殺・ソ連犯行説を追う

我が秘密は私のものではなく国家に帰属する

ナウム・エイチンゴン

ソ連犯行説を裏付ける「証拠」

1928年6月4日、奉天《ほうてん》（現在の瀋陽《しんよう》）郊外で、当時、満州の支配者だった張作霖《ちょうさくりん》を乗せた北京発の特別列車が爆破され、張が死亡する。いわゆる張作霖爆殺事件である。この事件については、河本大作《こうもとだいさく》大佐の「自白」もあり、関東軍の仕業というのが、日本の歴史学界では「決定的」通説となっており、日本による中国侵略の第一歩とされることも多い。

しかし、2005年に出版されるや世界的ベストセラーとなり、我が国でも話題となった『マオ　誰も知らなかった毛沢東《もうたくとう》』で、ユン・チアン、ジョン・ハリディ夫妻がソ連犯行説を唱えたことから、近年、これまでの通説である関東軍犯行説を再検討する動きが活発となっている。邦語文献では、２０１１年に加藤康男《かとうやすお》氏が内外の資料を渉猟《しょうりょう》してまとめた『謎解き「張作霖爆殺事件」』（以下『謎解き』）が、現時点で最大の労作であろう。

ソ連犯行説は、日本では「素人の陰謀論」として、学界主流からは無視されている。ところが、国際的には、通説とまではいえないにしても、研究者の間で有力な説となりつつある。

ソ連政治・軍事研究の泰斗、米インディアナ大の黒宮広昭《くろみやひろあき》教授もソ連犯行説を支持する研究者の一人である。黒宮教授は、２０１６年に公刊された論文の冒頭で、張作霖爆殺事件の「最も詳細な分析」として加藤氏の『謎解き』を注に明記したうえで、こう記している（『ジャーナル・オブ・スラヴィック・ミリタリー・スタディーズ』第29巻第1号）。

ある日本の自称実行犯（assassin）は、説得力のある告白さえ残している。しかし、今では、この事件はソ連の念入りなカムフラージュに思える。ソ連の実行犯たちが張を殺害し、罪を日本人になすりつけたのだ。

さらに、黒宮教授は、これまで日本ではあまり注目されてこなかった、ソ連犯行説に関する重要な証言に言及している。それは、ドミトリー・ヴォルコゴーノフの『トロツキー その政治的肖像』（生田真司《いくたしんじ》訳）に記された、レフ・トロツキー暗殺を指揮した伝説の秘密工作員ナウム・エイチンゴンに関する一節である（邦訳下巻417頁）。

極東とアメリカ事情にずばぬけて強い。「張作霖」事件に関連したエピソードを持ち、当地でブリュッヘルを救い出している（Блестящий знаток Дальнего Востока и Америки. В его биографии есть эпизоды, связанные с《делом Чжан Цзолиня》в Китае и спасением там же В. Блюхера.）。

ソ連時代末期には国防省軍事史研究所の所長、ソ連崩壊後はボリス・エリツィン大統領の顧問を務めたヴォルコゴーノフ大将が、職責上、特別にアクセスできる機密文書に基づいて書いたトロツキー伝の記述の信憑《しんぴょう》性は高い。しかも、トロツキー暗殺と直接関係ないにもかかわらず、あえて「『張作霖』事件」に触れたことの重みは、ソ連犯行説を否定する論者といえども、無視できないであろう。

加藤氏は前掲の『謎解き』で、ソ連犯行説を唱えるロシアの歴史家ドミトリー・プロホロフのインタビュー（『正論』2006年4月号）を引用するかたちで、「ヴォルコゴーノフ氏は（略）トロツキー（略）の死因を調べている際に、偶然、張作霖がソ連軍諜報局によって暗殺されたことを示す資料を見つけたのだという」と記していた。

『謎解き』でも引用されているプロホロフらの手になる『ＧＲＵ帝国』には、前述のトロツキー伝のエイチンゴンに関する記述のロシア語原文の該当ページが記されている。なお、『マオ』の張殺害ソ連犯行説も、『ＧＲＵ帝国』に依拠して書かれている。ＧＲＵ（ＰУ）とは「赤軍情報局」（Главное разведывательное управление）の略称で、軍の対外情報機関である。

おそらく、活字では明らかにできなかった、もっと踏み込んだ内容をヴォルコゴーノフは周辺に語っており、それが、プロホロフらロシア人研究者によるソ連犯行説の基礎にあると思われる。

いずれにせよ、張作霖爆殺がソ連の仕業だとしたら、その中心にいたのは、エイチンゴンである。

伝説の工作員エイチンゴン

エイチンゴンに関しては、２００3年に本格的な評伝がロシアで出版された。エドアルト・シャラポフの手になる『ナウム・エイチンゴン　スターリンの懲罰の剣』である。シャラポフは、エイチンゴンの中国での工作活動の実態をかなり具体的に描いている。たとえば、日本の警察に入り込んだソ連工作員「オシポフ」の協力の下に、「日本側の工作員として働いていた白系ロシア人二十名が、秘密裡にソ連の市民権を得ようとしている」という虚偽を記した文書をでっち上げ、これを入手した日本側は、偽情報を信じ、自らにとって貴重な二十名の工作員全員を処刑したとある。

さらに、シャラポフは、張作霖爆殺に関して、次のような「説が存在する」(Существует версия) と記している。

１９２８年にモスクワで張作霖を抹殺する (ликвидировать) ことが決定され、エイチンゴンと、ハルビンの赤軍情報局非合法工作担当のトップだったフリストフォル・サルヌイン (「グリシュカ」) が、日本人に全ての嫌疑がかかるようにして (переведя все подозрения на японцев)、実行した。

シャラポフは、日ソどちらの犯行とも断定せず、「特殊工作の研究者たちは、今日に至るまで、誰が満州の独裁者を『片づけた』(убрал) のか最終的に確定していない」としている。

さらに、シャラポフは爆殺の具体的状況にも言及している。

爆薬は奉天近郊の南満州鉄道の高架橋に（в виадуке Южно-Маньчжурской железной дороги）設置された。

この記述は、張作霖が乗車していた京奉線《けいほう》を走る列車が、満鉄線の高架橋下を通過するときに爆発が起こったという事実と一致しているだけではない。加藤氏が『謎解き』で指摘しているように、この事件では、爆破によって車両の天井部分は滅茶苦茶になったのに対し、台車部分や線路はほとんどダメージを受けていない。通説である関東軍犯行説は、河本大佐らの爆薬は、京奉線の線路脇に仕掛けられたとしており、車両の被害状況と辻褄《つじつま》が合わない。一方、シャラポフが言うように、満鉄線の高架橋に爆薬が仕掛けられていたとすれば、被害状況は無理なく説明できる。

いまだ謎に包まれたエイチンゴンの生涯を知るうえで、興味深い著作がある。英国の書評・論評誌『ロンドン・レビュー・オブ・ブックス』の編集長メアリー＝ケイ・ウィルマースが書いた『エイチンゴン一族』である。

実は、ウィルマースは、エイチンゴン一族の末裔《まつえい》であり、この本の主人公は、高名な精神分析学者マックス、世界一の毛皮商モッティ、そして伝説のソ連工作員ナウム（この本では、レオニードという生前の通称が用いられている）という三人のエイチンゴンである。なお、『ロンドン・レビュー』には、『マオ』の著者であるハリディも以前寄稿していた。

ウィルマースは、随所でシャラポフの評伝を引用し、中国本土や満州におけるエイチンゴンの秘密工作の描写についても、重なるところが多い。前述の虚偽文書工作についても、ウィルマースは、ヨシフ・スターリンのため世界を股にかけるエイチンゴンが、トロツキー暗殺以前に暗躍していた、内戦時のスペインでも用いた得意の策略だとしている。張作霖爆殺ソ連犯行説にも、シャラポフの記述を引用するかたちで触れている。ウィルマースはソ連犯行説に懐疑的ながら、こう述べる。

もちろん、レオニード［エイチンゴン］と彼の部下が本当に有罪であり、その罪が露呈しなかったのであれば、なおさらあっぱれなことである。実際、レオニードに関していえば、それは完璧な結果であろう。

ウィルマースは、ソ連崩壊直後の１９９２年にモスクワを訪れ、エイチンゴンの上司でトロッキー暗殺の総責任者だったパヴェル・スドプラトフに会っている。この訪問の事実はスドプラトフの自叙伝『ＫＧＢ衝撃の秘密工作』にも記されている。ただし、ウィルマースも、この訪問では特記すべき情報は得られなかったようである。

しかし、スドプラトフは自叙伝で、張作霖事件には言及していないものの、エイチンゴンの中国での活動に触れるとともに、「リヒャルト・ゾルゲもその一員であったＧＲＵのネットワークと協力して活動していた」という重要な証言を行なっている。この証言は、ＧＰＵ（後のＫＧＢ）のエイチンゴンと、ＧＲＵのサルヌインという、所属の異なる工作員が共同して張作霖爆殺を実行したという説の信憑性を高めている。なお、エイチンゴンとゾルゲの中国での活動の時期は、重なっていない。

さらに、ソ連犯行説を支持する黒宮教授も論文で言及している、ミハイル・ムザレフスキーが編集した『栄光のチェキスト』も、注目に値する資料である。「チェキスト」とは、ソ連初期の秘密警察の略称がチェカーであったことから、今日に至るまで、情報機関員を指す言葉として用いられている。ちなみに、現在、もっとも著名なチェキストは、言うまでもなく元ＫＧＢ職員ウラジーミル・プーチン大統領である。

『栄光のチェキスト』は、１９２３年から１９３９年までの間に、「チェカー・ＧＰＵ栄誉職員（Почётный работник ВЧК-ГПУ）勲章」を授与された工作員の略歴を記した人名録で、1932年までの受章者を記した第1巻2分冊、それ以降の受章者を記した第2巻4分冊（改訂版、初版は3分冊）からなる。エイチンゴンは、第2巻の第4分冊に登場する。

さすがに大物工作員だけあって、他の受章者に比べれば詳しいものの、一頁半にわたって淡々と事実が列挙されているだけである。ところが、さりげなくこう書かれているのだ。「1928年、満州の独裁者張作霖将軍の殺害に直接関与した（Причастеи к убийству)」。

編者のムザレフスキーは勲章の専門家で、ボリス・エリツィン記念ロシア大統領図書館ホームページの赤旗勲章、レーニン勲章及び赤星勲章に関する記述の箇所でも、彼の著作（『栄光のチェキスト』とは別）が引用されている。

この大統領図書館は、そのホームページに記載された概要によれば、「国内全図書館ネットワークの情報と連携の結節点たるべく」、2007年にプーチン大統領の肝いりで作られた（2009年開館）。

チェキストであることを誇りにしているとされるプーチン大統領のイニシャチブで創設された国営図書館が、大統領の「先輩」に関してでたらめを書くような研究者の著作を引用するとは思えない。

したがって、エイチンゴンが張作霖殺害に関与したとする『栄光のチェキスト』の記述の信憑性は高い。

なぜ、河本大佐は「自白」したのか

決定的証拠には欠けるものの、張作霖爆殺がエイチンゴンらソ連工作員の仕業だとする主張が、従来の通説に対する有力な対抗説であることは間違いない。

とはいえ、加藤氏が指摘するように、「首謀者を河本大作とする説の根拠には根強いものがある」し、彼が周辺に漏らしていた「決意」をはじめ、「事件そのものの跡を追えば、いかに河本と彼の周辺が多くの証拠を残したかが一目瞭然となる」（『謎解き』）。少なくとも、関東軍に爆殺計画があったことは否定できない。

もちろん、河本らがソ連情報機関の手先であったとすれば、ソ連犯行説とこれまでの関東軍犯行説は問題なく両立する。今日では、日本を含む各国中枢にソ連スパイ網が拡がっていたことが明らかになっており、一概に荒唐無稽《こうとうむけい》な主張とは言えない。次章で述べるように、そもそもソ連情報機関の工作は、張作霖爆殺事件以前の段階で、関東軍の中枢にまで浸透していたのである。

しかし、実在した関東軍の爆殺計画がソ連情報機関の工作とは無関係であったとしても、ソ連犯行説は十分成り立つ。それを示すために、ヒトラー治下のドイツ、及びスターリン治下のソ連で起こったケースを紹介しよう。

まずは、ドイツの事例、ヒトラー政権初期の1934年に、クルト・フォン・シュライヒャー前首相が、夫人とともに暗殺された事件である。このいわゆる「長いナイフの夜」(Nacht der langen Messer) 事件は、ヒトラーの片腕でありながら、その地位を脅かすようになっていたナチス突撃隊（SA）の指導者エルンスト・レームらの「除去」が目的であり、本来無関係であるはずのシュライヒャー暗殺をめぐっては、不明な点が多い。

シュライヒャー殺害を命じたとされてきたナチスのナンバー・ツーであるヘルマン・ゲーリングは、戦後、殺害ではなく拘束を命じただけだったと主張している。実際、当日、特殊部隊が自宅に到着した時点で、すでにシュライヒャーは死んでいたという証言とともに、部下に殺害を命じ、実行させたのは親衛隊長官ハインリヒ・ヒムラーだったという説がある（フリードリヒ＝カール・フォン・プレーヴェ『宰相クルト・フォン・シュライヒャー』）。

要するに、シュライヒャーは同時に別々のグループによって狙《ねら》われており、両者とも実行に及んだというわけである。ヒトラーに限らず、自らの地位を安泰にするため、自分に次ぐ有力者たちをライバル関係に置いて、横の連携を絶ち、競わせるのは、独裁者の常道である。ドイツの伝統的支配層と近く、ナチス内で「穏健派」とされていたゲーリングではなく、秘密警察を司《つかさど》るヒムラーによってシュライヒャーが殺害されたという説には、かなりの説得力がある。

次にソ連の事例、トロツキーの息子レフ・セドフの急死事件である。父を助け、欧州におけるトロツキスト・グループのリーダーとして活動していたセドフは、1938年に虫垂炎でパリの病院に入院し、手術を受けた後、31歳の若さで急死する。長年にわたって、セドフはソ連工作員に殺害されたと言われてきた。

ところが、スドプラトフは前述の自叙伝で、ソ連情報機関の関与を否定している。スドプラトフは、セドフ病死の報告を部下のセルゲイ・シュピーゲルグラスから受けたNKVD長官（内務人民委員）ニコライ・エジョフの反応を、こう記している。

見事な作戦だ。我々はうまくやってのけたわけだ。違うかね（Хорошая операция! Неплохо поработали, а?）。

シュピーゲリグラスもあえてエジョフに逆らうことなく、エジョフはセドフの死をスターリンに自分たちの手柄として報告し、セドフ暗殺説が「定説」となった。

トロツキー本人の暗殺を指揮し、公言しているスドプラトフが、嘘《うそ》をついてまで息子セドフの暗殺を否定するとは考えられない。スドプラトフの主張は、諜報活動研究で知られたジョン・コステロと元KGB中佐オレグ・ツァーレフの『致命的な幻想』で、機密資料に基づき確認されている。

加えて、セドフはソ連情報機関の完全監視下にあり、むしろ泳がせておいた方がトロツキスト・グループの動向を探るのに好都合であって、暗殺はソ連の利益に反するというスドプラトフの主張には説得力がある。

要するに、結果オーライで、やってもいないことであっても否定せず、そのまま自分の手柄にしてしまったわけである。政治やビジネスの世界でよくある話である。

この別の「刺客」が同一人物を狙っていたというドイツの例と、犯人でない人物が進んで「自白」したソ連の例に類似したことが張作霖爆殺事件でも生じていたとすれば、関東軍犯行説とソ連犯行説とは、矛盾《むじゅん》なく両立する。

第一に、ドイツの例同様、関東軍とソ連が同時に張作霖殺害を計画し、共に実行したと考えるのである。関東軍犯行説を裏付けるとされてきた証拠は、ソ連犯行説を否定しない。

そもそも、通説が主張するように、爆薬が関東軍によって線路脇に仕掛けられただけであれば、張を死に至らしめた、現実に起こった車両の爆破被害は生じ得なかった。関東軍とは別に、ソ連工作員が高架橋の下（あるいは『謎解き』で加藤氏が主張するように、列車の天井部分）に爆薬を仕掛けていたと考えれば、通説と被害状況の矛盾も解消する。

第二に、ソ連の例同様、河本大佐が計画やその実行を「吹聴《ふいちょう》」していた背景には、ソ連の例と似た戦前の日本の状況があった。当時は今日と違い、大陸での謀略活動にプラスの価値が与えられていた。支援を受けながら関東軍の言いなりにならない張作霖を謀殺することは、非難に値するどころか、賞賛されるべき「快挙」だったのである。関東軍の爆殺計画がそもそも未遂だったにせよ、実行したものの失敗に終わったにせよ、河本が成功したソ連の工作を自分の手柄として語ったとしても、なんの不思議もない。

今日では、張作霖爆殺ソ連犯行説が、少なくとも有力な仮説であることは間違いない。しかも、ソ連犯行説は、これまで関東軍犯行説を示すとされてきた証拠とも矛盾しない。

シャラポフが言うように、誰が張作霖を殺害したかは、まだ確定していない。

第2章　日本を手玉にとった「ロシア愛国者」

我々は最も争いのある歴史の論点であっても
開かれた検討を進める

ウラジーミル・プーチン

冷戦最前線としての満州

前章で述べたように、張作霖爆殺ソ連犯行説は、従来の関東軍の仕業という通説を覆《くつがえ》すとまでは言えないにしても、有力な仮説であることは否定できない状況となっている。ただし、プーチン政権になってから、旧ソ連機密文書へのアクセスは大幅に制限され、それまでに公開されたものを除き、ソ連スパイ活動に関して、新たな証拠が近い将来に出てくる可能性は低い。

しかし、エイチンゴンの関与を示唆していたヴォルコゴーノフ大将が保管していた文書は、遺族によって米国会図書館に寄贈され、現在、誰でも申し込めば閲覧することができる。

残念ながら、張作霖爆殺に関するものは含まれていなかったようであるけれども、満州における対日工作について、驚くべき文書が残されていた。

プロホロフは、前述の『正論』誌上のインタビューで、こう語っている。

中国におけるソ連特務機関の一九二〇―三〇年代の活動はまだあまり知られていない。しかしながら、亡命ロシア移民たちが暮らしていた中国東北部［満州］は特に、ソ連特務機関の重大な関心を集め、特務機関が複雑に変化していた中国政治に深く関与していたことは間違いない。ソ連側は、関東軍の動き、兵力配備、武器の種類、弱点などを移民や中国人らを通じて調べ上げ、その状況は手に取るようにわかっていた。

生前、坂本多加雄《さかもとたかお》学習院大教授は、1925年の日ソ国交樹立以来、「そもそも共産主義勢力との『冷戦』を早い時期から開始していたのは、他ならぬ日本であった」ことを強調していた（坂本多加雄『求められる国家』）。

実は、1925年の国交樹立前から、日ソ冷戦はすでに満州で始まっていたのである。ここでは、黒宮インディアナ大教授がポーランドの学術誌（『プシェーグロント・フスホードニ』第13巻第2号）に発表した論文に主に依拠して、ヴォルコゴーノフ文書で明らかとなった、ある「反ソ」白系ロシア人の「隠された人生」を紹介する。

なお、シベリア出兵以降の満州における日本の対ソ情報活動については、1980年に公刊された『全記録ハルビン特務機関』（以下『全記録』）によった。本書は、満州における陸軍の対ソ情報工作のいわば準公式記録であり、その中心機関であるハルビン特務機関（1940年以降、情報部本部）関係者の協力の下、元機関長土居明夫《どいあきお》中将の命で、関東軍情報部参謀だった西原征夫《にしはらゆきお》大佐が執筆したものである。

反ソ白系ロシア人セミョーノフ

第一次大戦の連合国であったロシアで、1917年11月に革命が起こり、権力を握った共産党政権は、1918年3月にドイツと単独講和し、戦線から離脱する。英仏は、反革命勢力を支援するため、派兵するとともに、同じ連合国の日米にシベリア出兵を要請、当初難色を示した米国が最終的に同意したことから、日本も米国とともに派兵した。

結果的に、日本はシベリア出兵でなんらの成果を得ることもなく、他国に大幅に遅れて１９２２年10月に撤兵する。その過程で、日本陸軍は反共政権を極東に樹立する場合の中心人物として、「積極的な闘志とその政治性・指導力を買い」（『全記録』）、ザバイカル・コサックのアタマン・グリゴリー・セミョーノフを選んだ。セミョーノフが、モンゴル・ブリヤートの血を引く「アジア人」であったことも、理由のひとつであったと思われる。

セミョーノフとその配下の部隊は、１９２０年8月に日本軍がザバイカル地方から撤退したのにあわせて、満州内に退却、最終的に日本が租借する関東州に引き揚げた。その後、セミョーノフは支援を求めて米国にも足を延ばしたものの、逆に犯罪者として拘束され、釈放後、最終的に満州に戻る。

関東軍は、セミョーノフを反ソ白系ロシア人の指導者の一人として重用し、大連《だいれん》に邸宅を与え、毎月機密費から多額の生活費を渡していた。１９３０年代の満州の人口は三千万人程度で、そのうち七万人が白系ロシア人とされていた。「白（系）」とは、「赤（系）」すなわち革命勢力に対し、反革命勢力を意味した。

『全記録』に示された日本の特務機関側の認識では、「セミョーノフ始め白系の指導有識階層は、信念的に日本陸軍の荒木貞夫《あらきさだお》、三宅一夫《みやけかずお》、沢田茂《さわだしげる》、樋口季一郎《ひぐちきいちろう》などの将軍に絶対依存し、又その伝統を受け継いでいたハルビン特務機関には無条件に随順していた」。

一方、「いわゆる白系と称する者の中には、表面的に反共を装いながら、実は密かにソ連国籍を取得し、これ等がソ連側に買収ないし懐柔された白系と共に、陰に陽に日満側の民族工作に対抗していた者が存在していた」。「ソ連を始め複雑な敵性策謀は、恐らく傍若無人と称する形容が、そのままピッタリ当てはまる勢いを以て、満州国に対しその暴威を逞《たくまし》くしていたものと推察される」。

さらに、ソ連の工作は日本の特務機関最上層にまで及んでいた。

対中工作を担う奉天特務機関と異なり、シベリア出兵に伴い1919年に設置された「ハルビン特務機関（関東軍情報部）の本質を一口に言えば、白系・蒙《もう》（モンゴル）系等異民族に対する指導に任じ、又これ等異民族を通じ、必要な情報的秘密戦的工作を行うのにあった」。1935年、安藤麟三《あんどうりんぞう》機関長は、「白系全般を纏《まと》めて我に依存せしめることこそ、将来の対ソ秘密戦に勝を制する所以」として、白系露人事務局を創設する。

ところが、このセミョーノフも関与していた事務局で、最重要部門とされた第三部のミハイル・マトコフスキー部長は、ソ連工作員であった。『全記録』が認めるように、「情報部［特務機関］の自体防諜についてはいかがであったであろうか。その結論は簡単で、もし判決を下すならば、『落第』の一語に尽きたのである」。

なお、ノモンハン事件の日本側司令官で、黒宮教授にソ連エージェントだった可能性が高いと指摘されている（『ジャーナル・オブ・スラヴィック・ミリタリー・スタディーズ』第24巻第4号）小松原道太郎《こまつばらみちたろう》中将は、満州事変後の1932年4月から翌年8月までハルビン特務機関長を務めたけれども、『全記録』ではその活動への言及が全くない。

一方、後任の安藤は、「［満州］事変のため対ソ諜報その他北方工作にも行き詰まりが生じていた」なか、「これが打開を断行した」として絶賛され、その業績が詳述されている。

裏を返せば、前任者の小松原は無能であったということであろう。まさか、小松原がソ連のためにサボタージュしていた可能性があるとは思い至らなかったであろうが。

セミョーノフの最期

前述のように、関東軍はセミョーノフの日本に対する忠誠を疑ってはいなかったものの、戦争末期には、その能力をあまり高く評価していなかった。「永い間の亡命生活の間、頭脳的の訓練をしなかった為か、所詮彼は過去の人間であり、そのセンスは現代ソ連を解明するにはすでに陳腐に属していた」。それでも、「日ソ開戦となって間もなく、彼は大連出張所に来《きた》り、白系部隊を組織し、これを率いて熱河《ねっか》方面にでも出動したい旨、申し出た。それほど闘志だけはなお満々たるものがあったが、もとより採用されるに至らなかった」（『全記録』）。

日本降伏に伴い、関東軍はソ連による厳刑が必至と思われたセミョーノフに逃亡を勧め、一切の準備を整える。ソ連軍が満州に侵攻したといっても、セミョーノフは南端の大連にいたため、十分に時間はあった。ところが、一旦、逃亡に同意したものの、セミョーノフはなぜか決心を翻《ひるがえ》し、大連にとどまる。その結果、1945年8月22日に飛行機で進駐してきたソ連の先遣隊によって直ちに逮捕され、モスクワに移送された。

セミョーノフは、白系露人事務局総局長のレフ・ヴラシェフスキーら他の白系ロシア人指導者七名と、1946年8月にモスクワで行なわれた裁判で、「ファッショ日本の直接援助により、祖国ソビエトに対し、最も卑劣な大罪を犯した」（『全記録』）と糾弾され、自らも罪を認めた後、8月30日に死刑を宣告され、処刑された。同じく死刑になったヴラシェフスキーら他五名が銃殺刑だったのに対し、セミョーノフのみ、軍人にとって不名誉な絞首刑が科された。

他の同様の裁判と異なり、セミョーノフらに対する裁判は公開され、ソ連だけでなく海外でも大々的に報道された。たとえば、『ニューヨーク・タイムズ』は「米国がシベリアを救った時」（1946年8月29日付）と題して、ソ連公開裁判の被告には一般に同情すべき点があるとしつつ、セミョーノフの場合は違うとして、こう述べる。「我々はすでに彼がテロリスト、虐殺者そして日本の手先であることを知っている」。

ただし、この裁判ではひとつ重要な論点が欠けているとする。それは、シベリア出兵の際、日本がセミョーノフらを使って東シベリアを奪取しようとしたとき、米派遣軍のウィリアム・グレイブス少将が、「この侵略に敢然と立ちはだかった」ことだと。

黒宮教授は、こう指摘している。

スターリンは、セミョーノフがソ連と激しく戦った日本スパイとして、全世界に知られることを望んだように思える。「公開裁判」はセミョーノフが自らを糾弾する最善の場であった。（略）公開裁判はさらにセミョーノフの二重生活の秘密を守ったのである。

セミョーノフには、「日本の手先」とは全く異なる、裏の顔があった。

明かされた愛国者の真実

最後まで関東軍からの信頼は厚かったものの、セミョーノフには、前述のソ連工作員マトコフスキーと秘密裡に会合していたことなど、いくつかの疑惑が存在することは、すでに半世紀以上前に出版されたピーター・バラクシンの『中国でのフィナーレ』で指摘されていた。

さらに、セミョーノフは逮捕後も、奇妙なほど自らの将来に楽観的であった。自分もその民であるモンゴルや極東のことをよく知っていると語ったうえで、「祖国に尽くすことを夢見ていた」(мечтал послужить родине) とされる(『中国でのフィナーレ』)。

実は、セミョーノフは1920年代からソ連に内通していた。ヴォルコゴーノフは、セミョーノフがソ連側に渡した四つの文書と、それに関連するソ連政府文書を保管していたのだ(黒宮論文の末尾に原文コピーが付されている)。

まず、1924年11月21日付、ソ連駐中大使レフ・カラハン宛の手書きの書簡には、こう記されている。

　私は、自由意志に基づき、私の過去の反ソ活動及び(略)ソ連政府によるロシアの国家的福利の追求を完全に認識したゆえ、私が現政府指導の下で祖国への奉仕に心血を注ぎ、国家的卓越の隆盛のため尽力することを決断した旨、貴政府に伝達すべく、貴官にお伝えする。

日ソ国交樹立（1925年）の前年、張作霖爆殺事件（1928年）の四年前の時点で、日本が絶大な信頼を置いていた「反ソ」白系ロシア人のリーダーが、ソ連に全面協力を申し出ていたのである。

さらに、セミョーノフ本人のレターヘッド入りの紙にタイプされた、宛先なしの1935年7月24日付声明にはこうある。

私は、極東におけるソ連政府の政治方針の正しさ（правильность）を承認し、その領域に住む諸民族の将来利益のため、極東の政治情勢の状況下、完全かつ無条件で自発的に（добровольно）ソ連に協力することへの同意を表明する。

この声明を添えた、同日付のタイプされたやはり自らのレターヘッド入りのゲオルギー・クレルジェ宛の書簡で、セミョーノフはこう訴える。

私は、同封の私の声明に従って、貴殿が私の名義で（от моего имени）交渉を進めることを完全に委任する。この声明を貴殿がご存じの極東におけるソ連政府の代表

（представитель）に渡していただきたい。

　この機会を利用して、私の貴殿への全幅の尊敬と忠誠の確かさを貴殿に受け入れていただくよう、お願い申し上げる。

クレルジェは反革命軍出身で、張作霖の軍事顧問を務め、内部抗争で追われた後、日本に接近し、日系の露語紙『ハルビン・ブレーミヤ』（Харбинское Время）編集に携わっていた。ソ連との関係を疑われ、1938年に日本当局、あるいは白系ロシア人グループによって殺害されている。後述するように、確かにクレルジェはソ連工作員であった。

　さらに、セミョーノフは、満鉄が経営する大連ヤマトホテルのレターヘッド入り便箋《びんせん》に手書きで記した1935年7月25日付の書簡で、クレルジェに自らが住む大連に来るよう催促している。

　私は、貴殿に可能なかぎり完全かつ良好なコンタクトの手はずを整え、我々の共同作業に向けたさらなる準備のため、大連にいる私に早く会いに来るよう、お願い申し上げる。

上記の四つの文書はすべてセミョーノフの署名入りの本物であり、ソ連工作員とセミョーノフの接触は、スターリンの耳にも届いていた。NKVD長官ゲンリフ・ヤゴダは、1936年4月4日、「我々に協力することに同意したアタマン・セミョーノフから受け取った真正の文書三通を添付する」という書き出しで始まる、「極秘」（СОВЕРШЕННО СЕКРЕТНО）と記された文書で、今後セミョーノフにいかに対処するか、スターリンに直接指示を仰いでいたのである。

ヤゴダは、すでに1924年の時点で、セミョーノフとのコンタクトを確立しており、添付された前述のカラハン宛書簡や、モンゴルでの対ソ協力を申し出るいくつかの詳細な書簡を受け取ったとしている。ただし、交渉のためにセミョーノフをソ連領内に連れ出す何回かの試みは、失敗に終わったと報告している。

さらに、ヤゴダは、1935年1月に「我が工作員」（наш агент）クレルジェを通じて、セミョーノフに接触し、その結果、前述の1935年7月24日付の二つの文書を受け取ったと述べている。

そして、ヤゴダは、これらの文書が、日本の了解の下に出されたものと推測する根拠があるとして、最後に次のような提案を行なう。

私は、セミョーノフの信用を失墜させるため、亡命者及び海外のマスメディアにこれらの文書を公開する必要ありと思料する。

貴職の指示を乞う。

スターリンはこのNKVD極秘文書になぐり書きで以下のように記し、ヤゴダの提案を却下した。

私の判断では、このクソ野郎はかかずらうに値しない（По моему, не стоит возиться с ним говном）。

こうして、セミョーノフとソ連の関係は表沙汰になることなく、この後も両者の接触は継続したと思われる。完全には信用できないにしても、役に立つ間は使い続け、始末するのは利用価値がなくなってからという、いつものスターリンのやり方である。

黒宮教授は、ソ連対日参戦に至るまで、セミョーノフがソ連のために活動していたことを示唆するいくつかの事例を挙げている。そして、処刑によって、「スターリンは、セミョーノフがその秘密を墓場まで持っていくことを確実にした」。

ヤゴダが言うような、セミョーノフが日本側の謀略の一環でソ連工作員に接触していた可能性は考えにくい。黒宮教授が指摘するように、暴露されたら白系ロシア人社会での自らの信用を完全に失墜させるような文書を、署名入りで「敵」に渡すのは危険過ぎる。

さらに、そのような大謀略をハルビン特務機関が行なっていたならば、戦後に当事者が公刊した『全記録』で、隠す必要があるどころか、ソ連情報機関にやられ放題だった関東軍の名誉のためにも特筆されたであろう。ちなみに、『全記録』には、セミョーノフ以外のソ連に内通していた白系ロシア人は明記されている。

なお、スターリンの却下判断からほぼ半年後の１９３６年９月にヤゴダは解任され、後任のＮＫＶＤ長官エジョフの下で、１９３８年３月に反逆罪で処刑された。そのエジョフも、１９３８年11月に解任され、１９４０年２月に処刑された。

また、１９３５年、ソ連政府が帝政ロシアから引き継いだ、満州北部を横断する東清《とうしん》（北満《ほくまん》）鉄道を満州国に売却するに伴い、白系ではないロシア人職員と家族がソ連に帰国した際、「ＮＫＶＤ命令００５９３号」に基づき、その多くが日本のスパイとして逮捕・処刑されている（『産経新聞』２０１４年11月20日付）。

セミョーノフは、なぜ逃亡しなかったのか

今まで知られていなかった、セミョーノフが日ソ関係に果たした役割について、黒宮教授はこう述べる。

セミョーノフのソ連への貢献がどの程度のものであったかを正確に見積もることは難しい。関東軍の秘蔵っ子（protégé）セミョーノフは、日本の軍事計画に関するトップシークレットに通じていた。1924年から1945年にかけて、日本軍が計画したほとんどすべての重要な動きが、モスクワの知るところとなっていたと結論付けて間違いなかろう。（略）

スターリン時代の歴史には大幅な書直しが必要である。1920年代、1930年代、そして1940年代のアジアにおける、セミョーノフ、白系ロシア人の活動、及びソ連の諜報・防諜活動の歴史は、大きな注目と修正に値する。

なぜ反共・反革命の闘士セミョーノフは、ソ連に協力したのか。セミョーノフは隠れ共

産主義者だったわけではなく、黒宮教授も指摘しているように、愛国者として、ソ連共産主義体制ではなしに、祖国ロシアに貢献しようとしたと考えるべきであろう。実際、その思想は、1938年に満州で出版された自叙伝に、明確に示されている。

セミョーノフは、共産主義に対抗する理念（идея）として、「ロシア主義」（Россизм《ロシズム》）を掲げる。彼は、「ロシア」（Россия）の形容詞として、民族・人種的意味での《русский《ルースキー》》ではなく、ひとつの国家に所属するという意味での《российский《ロシースキー》》を用いるべきとする。所属する民族がその独自性を失うことなく、平等の立場で政治的に統一された「ロシア国家」（Российское государство）こそ、ロシア主義者セミョーノフの理想であった。「ある人物がロシア国家の一員（гражданин）である限り、彼のロシア国家への所属を否定することも認めないことも不可能である」。

セミョーノフは反共産主義・反ソ連ではあっても、反ロシアではなかった。祖国ロシアを帝国主義から守るには、スターリンに協力するしかないというのが、彼の主観的判断であったのだろう。

それにしても、なぜセミョーノフは逃亡を試みることなく、ソ連軍に連行されることを選んだのだろうか。実は、スターリンに粛清された犠牲者には、同様の例が少なくない。

1930年代、粛清の嵐が吹き荒れるなか、多くの秘密工作員が本国に召還され、処刑された。彼らが帰国後の自らの運命に無知だったとは考えにくい。実際、粛清を恐れたゾルゲは、種々の口実を設けて帰国しなかった。

しかし、ほとんどが命令に従い帰国したのである。他のスパイはともかく、自らの祖国への忠誠が疑われるはずはないと判断したのか、どうせ逃げ切れないと考えたのか、あるいは後に残る家族への配慮ゆえ、死にゆく運命を受け入れたのかもしれない。しかし、それだけであろうか。

スターリンによって、反逆者として捕えられ、でっち上げの罪を認めて処刑された政府・党・軍の高官たちにも、同じことが言える。過酷な拷問があったにせよ、あるいは家族への配慮を仄《ほの》めかされたにせよ、筋金入りの革命の英雄たちが、なぜ従容《しょうよう》として死に就いたのか。

その背後には、次のような考え方があったのではなかろうか。スターリンの独裁がたとえ理不尽で常軌を逸した圧政であっても、スターリン体制に反抗することは、英米反動ブルジョアジーや日独ファシストといった強大な敵に塩を送ることになる。祖国ロシアあるいは最初の社会主義国家ソ連を敵から守り、理想とする国家を実現するために、反逆者として死ぬことが最後の御奉公になる。

セミョーノフは、反共主義者にもかかわらず、祖国ロシアのため、スターリンに協力した。祖国を守るためには、スターリンに処刑されることも、その信念に基づく一貫した行動だったのかもしれない。

ソ連ではなく、祖国ロシアのために

興味深いことに、「ロシア連邦」（Российская Федерация）を率いるプーチン大統領の理念は、セミョーノフのそれに近いように思える。

２０１１年にロシアでは、独ソ不可侵条約から対日戦勝利までの歩みを栄光の歴史として描いた『戦争　ソ連の神話１９３９―１９４５』が出版され、ベストセラーとなった。

著者のウラジーミル・メジンスキーは、その後プーチン政権の文化相に就任（２０２０年退任、現大統領補佐官）、『戦争』は在任中に第二版が刊行された。文化担当閣僚の著作ゆえ、政権のいわば公式見解とみてよいだろう。『戦争』は歴史書というよりプロパガンダ文書であって、疑問の多い事実認識の当否を問うより、その背後にある理念、あるいは歴史観を読み取るべきである。

『戦争』では、対日戦の正当性とその成果にも多くの紙面が割かれ、今日においても、第二次大戦の「勝利を守らねばならない」（Победу нужно защить）ことが強調される。

領土返還交渉に臨む相手がこうした歴史観の持ち主であることを、我々日本人は銘記する必要があろう。

メジンスキーは、スターリンが多くの罪を犯したことを認めつつ、ソ連時代には良いことも悪いこともあったとして、こう述べる。

大祖国戦争は、理念があるかぎり国民は無敵であるという教訓を与える。それは共産主義の理念ではなく、自らの祖国（Отечество）、故郷（Родина）、家、家族に対する愛であった。（略）ソ連の歴史。それはソ連共産党や政治局の歴史ではない。国民の歴史だ（история НАРОДА）。この時代の成果、それは我々の成果だ。

こうした歴史観は、スターリンや共産主義ではなく祖国ロシアのために戦ったセミョーノフと同じ理念に基づくものであることは明らかである。メジンスキーは、2015年5月20日、「革命百周年を迎えるにあたって」と題した演説で、こうも言っている（メジンスキー『ロシアは一度も敗れたことがない』）。

百年前、「赤」（красные）も「白」（белые）も祖国の隆盛に向け、愛国的心情に基づいて行動していたのだ。

スターリンが後継者ニキータ・フルシチョフに批判され、その威信が地に堕《お》ちて以降、これまで旧ソ連・ロシアでは、スターリンに汚名を着せられ粛清された犠牲者の名誉回復が進んできた。今こそ、プーチン大統領は、歴史にいまだ反逆者の烙印を押されたままの愛国者セミョーノフの名誉回復を図るときではなかろうか。

付記

セミョーノフの手書き二書簡は、筆者のロシア語力不足ゆえ判読できず、黒宮論文の英訳から重訳したことをお断りしておく。

Ⅱ　「スペイン内戦」の不都合な真実

第3章　「ゲルニカ神話」の虚妄

世界を動かす第一の原動力は嘘である
ジャン＝フランソワ・ルヴェル

「コラテラル・ダメージ」という軍事用語

冷戦終結後、ソ連という「重し」のとれた米国は、中東をはじめ、世界各地で積極的に軍事介入を行なってきた。その過程で、日本でも広く知られるようになったのが「コラテラル・ダメージ」（collateral damage）という軍事用語である。ここでは「付随的損害」という訳を用いる。

たとえ意図しなくとも、軍事行動、とりわけ兵士も含めた軍事目標を狙った砲爆撃において、無関係の民間施設を破壊したり、罪のない一般市民を巻き添えにするなどして「付随的損害」が生じる可能性は常に存在する。むしろ、無人の原野での戦闘でもない限り、武力行使に伴うこうした損害は避けられないというべきであろう。

軍事行動においては、常に人道的要求と軍事的必要性のつり合いが求められる。したがって、その適（違）法性を判断するにあたっては、前者だけでなく後者の要素も同時に考慮しなければならない。付随的損害のように、二つの目的が衝突する場面では、いわゆる比例原則（proportionality）が重要となる。

実際、軍事行動において比例原則を遵守し、付随的損害をできるだけ避けるというのは、人権尊重が今ほど高唱されるずっと以前、少なくとも19世紀後半から「文明国」の間では共通理解となっていた。ところが、次章で述べるように、非戦闘員殺害を主目的とする無差別爆撃をドイツの都市に対して開始し、その先鞭《せんべん》をつけたのは、今日の正統史観では悪の権化ヒトラーに立ち向かった正義のヒーローとされているウィンストン・チャーチルであった。

にもかかわらず、今日、空爆の歴史を語る際、一般市民をターゲットにした無差別爆撃の嚆矢《こうし》として必ず登場するのは、あるスペインの小さな町である。

その名はゲルニカ。

フランシスコ・フランコ将軍率いる国民派（この表現を用いる理由については第5章参照）との内戦下、スペイン人民戦線政府は、支持者であるパブロ・ピカソに、1937年のパリ万国博覧会に作品の出展を依頼していた。

それを受けたピカソは、フランコを支援するドイツ空軍が同年4月26日に行なったゲルニカ爆撃の非人道性に衝撃を受け、壁画「ゲルニカ」を完成させる。このピカソの最高傑作のひとつと言われる作品は、スペイン北部のバスク地方にある小さな町の名前を、世界中に知らしめた。

ゲルニカ神話の誕生

しかし、ゲルニカ爆撃に関して広く流布《るふ》した言説は、反ファシズム史観に基づく、内戦をめぐる歪《ゆが》んだ歴史認識のひとつの典型であり、事実とはかけ離れた、いわば「神話」なのだ。

実は、ゲルニカ空爆の実情については、現在では専門家の間で、ほぼコンセンサスが確立している。まず第一に、ゲルニカは単なる片田舎の戦争とは無縁の小村ではない。

第二次大戦後、長い間、ファシズム勢力による非人道的戦争遂行の象徴となっていたゲルニカ空爆に対して、西ドイツ軍戦史部のクラウス・マイヤー少佐（当時）は、1975年に出版した『ゲルニカ　1937年4月26日』で、ドイツ空軍によるゲルニカ空爆が、一般市民をターゲットとする無差別爆撃ではなく、軍事目標を狙った作戦であることを、一次資料に基づき明らかにした。一般市民に犠牲者が出たにしても、それは今世紀に入ってからも米軍が中東などで行なっていた爆撃による犠牲者と同じく、付随的損害であった。無差別爆撃を主張する研究者が反論を試みたものの、スペイン現代史研究者ハンス＝ヘニング・アーベントロートが、１９８７年に「ゲルニカ　疑わしいシンボル」と題した論文で、無差別爆撃神話に固執する研究者の主張を徹底的に論破した。

米国の空戦史研究者ジェームズ・コラム退役中佐が１９９５年に発表した論文で指摘したように、「いかなる理性的基準（any reasonable standard）に基づいても、ゲルニカは合法的軍事目標」であり、事実をめぐる論争としては、すでに決着が付いたといってよい。

１９３７年４月26日のゲルニカ空爆時、人民戦線派の支配下にあったバスク地方では、国民軍の攻勢を前に、人民戦線軍は拠点であるビルバオ方面に退却中であった。前線から十キロほどしか離れていないゲルニカは、その途上にあるとともに、そこには人民戦線軍の部隊が配置され、軍需工場も存在し、国民軍の攻撃を予想して防空壕も準備されていた。ゲルニカは、軍事的価値のない平和な田舎町などではなかったのである。

地上の国民軍を支援するべく派遣された独伊空軍部隊は、人民戦線軍の退却を阻止するため、軍事目標である橋などを狙った爆撃を行なった。しかし、視界不良のなか投下された爆弾は目標を逸れ、市街地を直撃する。そのため、直接ターゲットとなったわけではないものの、付随的被害として一般市民に犠牲者が出た。

第二に、犠牲者の数である。諸説あるものの、従来、反ファシズム史観論者によって繰り返されてきた1654人という数字は論外であり、おそらく、スペインの戦史家ヘスス・サラス・ララサバルの綿密な研究に基づく120人というのが真相に近いと思われる（『ゲルニカ』）。スペイン内戦研究の第一人者、米ウィスコンシン大のスタンリー・ペイン名誉教授も、犠牲者は150人程度としている（ペイン『スペイン内戦』）。

爆弾投下量は、スペイン内戦時の空爆では標準的な三十トン程度で、ドレスデンや東京と比べて二桁《ふたけた》少ない。それでも、人口が五千人程度の町にとって大惨事であることに変わりはない。

国民軍の空爆に関しては、非人道的行為と主張する人民戦線政府の要請に基づき、1938年に国際連盟調査団が現地（ゲルニカは含まれていない）に派遣され、その報告書がすぐに公表された（ヘルマン・ハゲナ『戦闘機乗りウェルナー・メルダース』）。国民軍の空爆のほとんどが軍事目標を対象にしたものであったという報告書の要旨は、人民戦線政府にとっては藪蛇《やぶへび》となった。

1938年10月21日のバルセロナ爆撃に関する報告には、こうある。
「もし、非戦闘地域を狙った攻撃が意図されていたのであれば、パイロットが実際には攻撃時は保持したまま帰還時に海に落とした爆弾を、非戦闘地域に投下しつづけたであろう」。

空戦及び戦争法の著名な研究者ホルスト・ボークは、ゲルニカ爆撃が一般市民を狙った無差別爆撃などではなく、戦時国際法で認められた、地上軍と連携した空軍が敵の進撃あるいは退却を妨害するために行なう「(航空)阻止攻撃」(interdiction)であったと指摘している（ボーク「爆撃戦、国際法及び空戦における人間性」）。

そもそも、スペイン内戦中、空爆で一般市民に犠牲者が出たのはゲルニカが最初ではなく、人民戦線軍も国民軍もともに、相手の支配領域に空爆を行なっていた。人民戦線軍は、当初、空軍力で優位にあったため、内戦が始まるや否や、ただちに空爆を開始している。なお、ゲルニカ空爆の数週間前にも、ゲルニカから二十キロほど離れたところにあるデュランゴ空爆で、同程度の規模の犠牲者が出ている。しかし、こちらは当時も今も、ほとんど注目を集めていない。

定着した虚構のシンボル

なぜゲルニカ空爆がこれほど大きく取り上げられ、今日にもその名を残しているのか。

まず、英『タイムズ』特派員ジョージ・スティアが空爆をセンセーショナルに取り上げたことで、当初からゲルニカ空爆は国際的に大きな反響を呼んでいた。フランコ率いる国民派が空爆の事実そのものを否定し、退却する人民戦線軍の焦土戦術による破壊であるという、すぐにばれる嘘を発表したことも、国民派の立場を悪くした。

そして、ピカソの壁画、というより、それに付随する「物語」が国際世論に及ぼした影響は甚大であった。その背後で、ソ連が各国に張り巡らしたプロパガンダ網がフル回転したことは言うまでもない。

ピカソは、他の著名親ソ知識人同様、知ってか知らずか、「監督」スターリンの振り付けに忠実に従う「スター俳優」であった。第二次大戦中パリに住んでいたピカソは、連合軍によるパリ解放後、フランス共産党に入党し、1950年にスターリン平和賞を受賞、スターリン批判後、同賞がレーニン平和賞と改称された後の1962年にも、再度受賞した。

フルシチョフによるスターリン批判後、その威信は地に堕《お》ちたけれども、スターリンが作り出した「ファシズム＝悪、ソ連を含む反ファシズム＝善」の構図に基づく神話は、今も生き続けている。ナチス・ドイツとの関係は、たとえ取るに足らないようなものでも、いまだ厳しい批判の対象になるのに、スターリニストのピカソがあたかも平和の使徒であるかのように扱われるという奇妙な光景が、いまも変わらず続いているのである。

非人道的爆撃というゲルニカ神話が事実としては否定された今日でも、「ゲルニカは疑いなく反ファシズムの戦闘的シンボルとして生き続けるであろう。こうした類のシンボルは、事実だからではなく、しばしば心に深く刻みこまれた（tief empfundenen）政治的確信から、その力を得ているのだ」（アーベントロート前掲論文）。

そもそも、壁画「ゲルニカ」に関しても、ピカソの作風を反映した極めて抽象的な作品であり、本当にどの程度、ゲルニカ空爆と直接関係があるのかについては、不明な点も多い。

ピカソがゲルニカ空爆だけに基づいて、最終的に壁画となる作品を描いたわけではないことは、ピカソの賛美者も認めている。たとえば、英国の美術史家アンソニー・ブラントは、「ゲルニカ」以前の具体的な創作活動に触れた後、こう述べている（ブラント『ピカソ〈ゲルニカ〉の誕生』）。

ピカソが「ゲルニカ」で用いたシンボルが、この絵のために突然発明されたものではなく、年来この画家の心のなかで徐々に発展、あるいは成熟してきたとすら言い得るものであることは、以上の［ゲルニカ以前の作品］例から明らかであろう。

英王室美術顧問でもあったブラントは、ピカソ同様、あるいはそれ以上のスターリニストであった。この著作の刊行後、1940年代から50年代つまりスターリン独裁時代に英国政府内で暗躍したソ連スパイ「ケンブリッジ・ファイブ」の一員であったことが、マーガレット・サッチャー政権時代に暴露され、「ナイト爵位」を剥奪《はくだつ》された。

さらに、ペイン教授は、「ゲルニカ」は「近代戦争の恐ろしさに対する最も偉大な芸術的描写として、世界的に象徴的地位を得た」としたうえで、こう付け加えている（ペイン『スペイン内戦』）。

しかしながら、ゲルニカは名前を提供しただけで、描画にインスピレーションを与えたわけではないことを指摘しておかねばならない。ピカソは戦争の恐ろしさに対する抗議として、すでに1937年［初め］の晩冬に作成に取りかかっており、プロパガンダ・キャンペーンが展開された後に、題名を付けただけであった。

ただし、裏付けとなる資料が明示されていないので、筆者がペイン教授に直接問い合わせたところ、資料はもう手元にないという返事をいただいた。

ピカソの『ゲルニカ』作成の過程と、実際のゲルニカ空爆の関係がどのようなものであれ、須藤哲生《すどうてつお》明治学院大名誉教授の次の言葉は、真実を突いているのではなかろうか（須藤哲生『ピカソと闘牛』）。

芸術作品「ゲルニカ」に描かれているのは、ゲルニカの町そのものではないのだ。たとえば仮に、トレドの街が爆撃されていたなら、ピカソは「トレドという名のゲルニカ」を描いたに違いないのである。

ピカソだけではなく、スターリンにとっても、町の名前など、どこでもよかったであろう。ただし、トレドはあり得ない。ゲルニカ空爆より前、内戦初期において、トレドで一般市民の犠牲をともなう空爆を行なったのは、人民戦線軍だったのだから（ラモンス・ララサバル『共和国軍の歴史』）。

第4章　無差別爆撃の創始者は誰か

結局、我々を裁くのは歴史です

ヨシフ・スターリン

（英ソ首脳会談でチャーチルに）

第二次大戦前の国際法と空爆

前章で述べたように、ゲルニカ空爆は一般市民殺害を主目的とする無差別爆撃ではなく、あくまで軍事目標を狙ったものであった。確かに一般市民に多くの犠牲が出たけれども、それは爆撃の不正確さがもたらした付随的損害であった。

たとえ無差別爆撃ではないにせよ、ゲルニカ空爆に見られるように、付随的損害が不可避といってよい陸海空からの砲爆撃に関して、戦時国際法は、第二次大戦前どのように規定していたのか。ここでは、戦前から単なる祖述にとどまらず、世界レベルの戦争法研究を行なっていた田岡良一《たおかりょういち》元京大教授の『国際法学大綱（下）』（1939年）に拠りながら、当時の理解を見てみよう。

まず、陸戦に関しては、陸戦条規（1907年）第25条で、防守されていない対象への攻撃や砲撃は禁止されていた。ただし、戦時の慣行として、攻撃対象が防守されている場合には、「地域全体に亙《わた》る砲撃を加へる権利」すなわち「一定の目標を選ばずして為される砲撃と云ふ意味で、無差別砲撃」が認められていた。

ここでいう「防守」とは「地上部隊が、或地域を占領する意図を以て是に迫り、而《しこう》して此の地域内に右の企図に対して抵抗を試みるべき敵軍隊の存する」ことを意味する。この「都市の無差別砲撃を適法ならしめる要素としての『占領の企図に対する抵抗』の観念」は空爆の適法性を考える際、とくに重要となる。

陸戦の場合、占領を企図しない砲撃は、当時の技術水準では例外的事象だったものの、海上からの砲撃の場合は事情が異なる。陸上部隊の行動と独立して、海上から沿岸都市を砲撃することは技術的に可能かつ効果的な戦法であった。

実際、海軍砲撃条約（1907年）は、第1条で陸戦条規第25条と同様に規定しつつ、第2条で例外を認め、無防守地域であっても、海上からの軍事目標砲撃が適法となることを明文化した。その結果、「目標以外の人及び物に加へる損害は、故意に依らないものである限りは適法となる」。

一方、せいぜい沿岸までしか近づけない艦船と異なり、航続距離の制約はあるものの、航空機は敵国全土をカバーし得る。この場合はどうなるか。

1923年にまとめられた空戦法規は、草案にとどまったものの、海上砲撃同様、軍事目標の空爆は防守の有無を問わず適法というのが当時の通説（草案にも同趣旨の条項あり）であった。空軍の発達によって、軍事目標に限っては、敵国全土が適法な攻撃対象となったのだ。

さらに、技術進歩で飛躍的に飛距離が伸びた陸上砲撃に関しても、海空同様というのが国際的了解だったので、当時の戦時国際法は、以下のようにまとめることができる。

陸海空からの砲爆撃の対象は、原則、軍事目標に限られる。ただし、例外として、防守地域では占領を企図する陸上部隊のみならず、その作戦行動を支援する海空部隊にも無差別砲爆撃が許される。

とはいえ、無防守地域を空爆するに際して、「投射物にして軍事目標に命中する時其の破壊力が必ず目標以外に及ぶものを使用する事」と「目標を識別し得ない場合に、万一を僥倖《ぎょうこう》して、又は都市全体を焼却する事に依り其の一部に在る軍事目標を破壊せんとして為す砲撃及び爆撃は禁止せられる」。

ここで示した田岡の戦争法解釈は、理想論に流されずに現実を直視し、人道的要求と軍事的必要性の望ましいバランスを見出そうとするものであった。しかしながら、たとえこうした現実的解釈を採用しても、原爆投下と日独諸都市への空襲は、この最低限度の禁止さえも犯すようにみえる。

実際、ユダヤ人迫害相対化につながるとして、連合軍による爆撃被害に言及することがタブー視される傾向のあったドイツで、イェルク・フリードリヒの『ドイツを焼いた戦略爆撃1940─1945』がベストセラーとなり、英国でも哲学者アーサー・グレイリングの『大空襲と原爆は本当に必要だったのか』が話題になるなど、英米の空爆は戦争犯罪だったという見方が、昨今広まってきている。

そして、英国の戦時宰相であり、我が国保守知識人の間でも一般に評価の高いチャーチルの存在なしに、この未曾有《みぞう》の連合軍空爆はあり得なかったのだ。

重慶空爆は、連合軍が行なったような無差別爆撃ではなかった

日本軍による中国諸都市への空爆は、ほとんどが日米開戦前に行なわれた。そのため、日本の空爆は、英米という敵国寄りの第三国による厳しい「監視」下にあったことに留意

せねばならない。爆撃対象の諸都市には、ジャーナリストも含め多数の英米人がいたうえに、日本は中国と正式な戦争状態になかったため、第三国に交戦国の権利を十分主張することができず、英米人の犠牲者が出ることはもちろん、その財産破壊も極力避ける必要があった。

日本軍の空爆がどのようなものであったかを知るうえで、興味深い資料がある。日本に批判的ではあるものの、かなり客観的に書かれた、南京《ナンキン》占領直後の英『タイムズ』特派員報告（1938年2月11日付）である。

まず、外国人は防空壕をほとんど利用せず、爆撃を見晴らしのよい場所（vantage point）から見るのが常であったとし、この特派員自身、爆撃機がまだ上空にいるのに、それを見上げながら市内を自動車で通行し取材したと記している。さらに、世界的に爆撃が批判されていることを知ってから、中国側が犠牲者数を誇大に発表するようになったものの、爆撃の犠牲者は驚くほど少ない（surprisingly small）こと、また、日本軍が国際世論を気にして、爆撃対象を飛行場その他軍事目標に限定していることを認めている。

日本軍による無差別爆撃として悪名高い重慶《じゅうけい》爆撃においても、英米との軋轢《あつれき》を恐れる日本政府は、1940年6月14日、「狡猾《こうかつ》なる支那軍は態々《わざわざ》重慶市内外にある諸種の第三国権益に接近して防空砲台其の他の軍事施設を築設して居り攻撃実施上幾多の障害をなしてゐる」ため、英米他第三国に日本が指定する地域に一時避難するよう要請する。しかし、米国政府は即座にこの要請をはねつけるとともに、米国権益を侵害しないよう日本政府に警告した。

重慶爆撃を指揮していたのは、支那事変が起こるまでの三年間、蔣介石《しょうかいせき》政権の顧問として中国海軍を教育指導した第三連合航空隊司令官の寺岡謹平《てらおかきんぺい》少将（のち中将）であった。寺岡は「あそこは一つの首都で英・米・独・仏各国の大使館があって、のちにアメリカが日本に対して行なったような『じゅうたん爆撃』をするわけにはいかなかった。（略）第三国との間にことを起こさないよう、よく目標を選んで攻撃しなければならなかった」と戦後述懐している（中村菊男《なかむらきくお》『昭和海軍秘史』）。

1941年に出版された反日プロパガンダ色の濃いヘリモン・マウラーの『まだ終わっていない』ですら、整備されていた防空壕の存在ゆえ、犠牲者は驚くほどわずかで（amazingly slight）、地上にとどまらねばならない兵士、警察官及び消防士にほぼ限られていたとしている。

中国都市爆撃に関しては、人道的要求と軍事的必要性のつり合いが求められるなか、前者を十分考慮しない、比例原則から逸脱した付随的損害が生じた事例もかなりあった。とはいえ、日本軍はおおむね当時の戦時国際法の範囲内で行動しており、空軍戦略として連合軍が後に行なったような無差別爆撃を行なっていたとは言えない。

そもそも、英米が日独都市に対して行なったような無差別爆撃は、爆弾の大量消費を前提とする極めて「非効率」な攻撃方法であり、当時の貧弱な日本の工業力では、やりたくてもできない「高嶺の花」であった。

中国以外の戦地でも、英国の空戦法研究者ジェームズ・スペートは、戦後に第三版が出た『空軍と戦争法』で、決して日本に好意的ではあり得ない戦時中の文献に依拠して、日本軍はマラヤ（マレーシア）で軍事目標主義を遵守したとする。ただし、ビルマでは守らなかったとしている。なお、真珠湾攻撃で日本軍が軍事目標主義を遵守していたことについては、争いはない。

「一般市民を軍事目標とみなす」決意

日本はもちろん、ドイツと比べても、圧倒的な工業力に支えられた英米による空爆は、その規模が桁違《けたちが》いであった。

連合軍のドイツ都市無差別爆撃に対しては、ナチス・ドイツの英本土爆撃に対する報復だったという擁護論がある。少なくとも当時は、本来は戦時国際法に反する行為が許される場合として、違法行為を止めさせることを目的とした「戦時復仇」(war reprisal) が認められていた。

しかし、都市空爆に際して、この戦時復仇を理由に挙げたのは英国ではなく、ドイツの方であった。しかも、それは必ずしも戦時プロパガンダとはいえない。

ドイツ空軍がおおむね軍事目標主義を遵守していたことは、戦後出た英国の公式戦史も認めている。「１９４０―41年の秋から冬にかけての空襲に関する詳細な記録は、非戦闘員への無差別爆撃が意図されていたことを示してはいない。選ばれた目標は、主に工場とドックであった」（バジル・コリアー『連合王国の防衛』）。

そもそも、ヒトラーは大戦前から空爆制限論者であった。大戦末期の１９４４年に出た『爆撃は正しい』(Bombing Vindicated) でスペートは、こうしたヒトラーの主張は人目を欺くためではなく、彼の真意だとしている。「なぜならまさに、こうした制限が課されることは疑いなく彼の利益になるからだ。（略）彼は違う方法、我々のやり方ではなく自分のやり方で戦うことを強く望んでいた」。

スペートは、空戦法研究の第一人者であるとともに英空軍省高官（文官）であり、田岡も、我が国戦争法研究屈指の名著『空襲と国際法』（１９３７年）でその学説を詳しく検討している。そのスペートのいう英国の「我々のやり方」とはどのようなものだったのか。

スペートは１９３０年に公刊した『空軍と都市』で、空軍の登場と戦争の機械化(mechanization of war)が従来の戦場概念に修正を迫っていると主張した。武装した兵士が相まみえる場に加えて、武器を供給する場という、もうひとつの「戦場」が出現し、それに伴って適法な爆撃対象である軍事目標は、当然拡大するというのだ。そもそもスペートは、非戦闘員以外、本来すべて適法な爆撃対象であるとしており、非戦闘員の犠牲という付随的損害との比較考量に基づいて、軍事目標主義を主張したに過ぎない。

こうした考え方は戦間期の英空軍を主導した参謀総長ヒュー・トレンチャード元帥にも共有され、１９３６年には爆撃機軍団（Bomber Command）が創設される。スペートによれば「この軍団の存在理由は全く、敵となった場合のドイツを爆撃することにあった」(『爆撃は正しい』)。

地上部隊を支援する一種の長距離砲として爆撃機を利用するドイツの陸主空従の陸空戦力（land-air power）ではなく、英国では空戦力（air power）に主眼が置かれる。地上部隊とは独立に、狭義の軍事目標に限定しない、敵国の工業力全般を破壊する地域（area）爆撃がその柱となったのだ。

英国政府は一貫して、地域爆撃においても軍事目標主義を遵守していると主張し続けたものの、おびただしい付随的損害、すなわち一般市民に犠牲が出ることを否定しなかった。それでも、大戦当初は、付随的損害への配慮が行なわれていた。

しかし、戦時宰相チャーチルの考えは違った。1942年8月モスクワで開かれた英ソ首脳会談で、「一般市民（civil population）に関して、我々はこれを軍事目標とみなしている。（略）我々は慈悲を示したりしない」と語ったのは、スターリンではなくチャーチルであった。

すでに、1942年2月14日の地域爆撃指令（Area Bombing Directive）で、「敵の一般市民、とくに工業労働者の士気（morale）に攻撃の焦点をあてること」が正式な方針として示され、一週間後にこの指令を体現するアーサー・ハリス中将（のち元帥）が爆撃機軍団司令官に任命される。「一般市民に対する全面戦争（totaler Krieg）に向けて、ついにルビコン川を渡ったのだ」（ビョルン・シューマッハー『空戦におけるドイツ都市の破壊』）。

地中海空軍司令官アーサー・テッダー大将（のち元帥）は当時、こう言い放った。「我々はこの新しい戦争方法を身につけたし、米国人は今学びつつある。フン［ドイツ人の蔑称］とジャップはまだわかっていない」（『爆撃は正しい』）。

こうして、戦闘員も含めた軍事目標を攻撃する際に付随的損害を軽視あるいは無視するという意味での、従来型空爆の延長線上の無差別爆撃ではなく、敵国を物心両面で完全に破壊することを目的とした、非戦闘員自体を標的とするテロ（terror）爆撃が、英国の国策として遂行されることとなった。

ドレスデン空襲、チャーチルの場合

この地域爆撃という名の、もっぱら非戦闘員を対象とした無差別爆撃、あるいはテロ爆撃の到達点といえるのが、１９４５年2月13日から15日にかけて英米軍が行なったドレスデン空襲であった。ところが、その言語を絶する惨状が伝えられるや、国内外で批判が高まり、チャーチルは3月28日、自らの責任を回避するため、次のような文書を空軍参謀総長チャールズ・ポータル元帥に送る（チャールズ・ウェブスター他『対独戦略航空攻撃』）。

別の口実の下とはいえ、恐怖（terror）をいや増すためだけのドイツ都市爆撃の問題を再考すべき時期が来たように私には思える。（略）ドレスデン破壊は連合軍の爆撃行為への深刻な疑義となる。

空軍に責任転嫁しようとするチャーチルの真意を見抜いた空軍首脳は、この文書の受け取りを拒否し、最高指導者に向かって異例にも書き直しを求める。結局、ドレスデンへの言及は削除され、文面は次のように変更された。

ドイツ都市のいわゆる「地域爆撃」の問題を、我々自身の利害の視点から再考すべき時期が来たように私には思える。

チャーチルは戦後も、ドレスデン爆撃を問われた際に、「それについては何も思い出せない。米軍が行なったと思っていた。尋ねるべき人物はハリス大将だ」と答えるなど、しらを切り通す（ノーマン・ローズ『手におえない巨人』）。

しかし、チャーチル存命中に出た前掲の公式戦史（『対独戦略航空攻撃』）には、こうある。「首相ほか責任者たちは、彼らにとって不快なことであるかのように、そしてこの攻撃を主導かつ持続した自分たちの少し前の奮闘を忘れたかのように、この問題から目を逸らしているようにみえた」。

対独戦では、夜間に無差別爆撃を行なう英軍に対し、米軍は主に昼間に軍事目標を狙う精密（precision）爆撃を行なったけれども、無差別爆撃を行なわなかったわけではない。とはいえ、対独無差別爆撃の主役は、圧倒的に英軍であった。

広島・長崎への原爆投下、トルーマンの場合

一方、単独で行なった対日航空攻撃では、対独戦での英軍同様、米軍は徹底した無差別爆撃を行なう。ドレスデン空襲後、英国で無差別爆撃への反省機運が生じたのとほぼ同時に、米軍の無差別爆撃は1945年3月10日の東京大空襲で、ひとつの頂点に達した。もちろん、「頂点」とは通常爆弾に限った場合の話である。5月のドイツの降伏には間に合わなかった原子爆弾が7月に完成し、8月に広島と長崎に投下されたのだ。

対独無差別爆撃を主導しながら、後年責任回避に終始したチャーチルと違い、米国のハリー・トルーマン大統領は、死ぬまで原爆投下の責任から逃げようとしなかった。

しかし、バートン・バーンスタイン、スタンフォード大名誉教授が指摘しているように、原爆投下がその是非をめぐって米国政府内で事前に議論したうえでの苦悩の決断の結果だったという、広く流布された説は事実ではない。これは投下後に生じた国内外での批判に対処するために、米国政府が作り出した神話に過ぎない。なお、この神話形成の中核

を担ったのは、フランクリン・ルーズベルト政権の陸軍長官ヘンリー・スチムソン（ハーバート・フーバー前政権では国務長官）と、ハーバード大学長ジェームズ・コナントであった。

原爆が実際に投下される前の段階では、原爆投下は通常爆弾による日独無差別爆撃の延長線上にあるとみなされていた。米国政府にとって、論点は日本のどこへどのように投下するかであって、投下するか否かではなかったのである（『フォーリン・アフェアーズ』第74巻第1号、『ディプロマティック・ヒストリー』第19巻第2号）。

戦後、原爆投下を非難した神学者ラインホルド・ニーバーに対して、通常爆弾による爆撃と区別し、原爆投下を倫理的に特別視しているとして、コナントはこう反論している。なぜ米国民は東京や他の都市の爆撃についても同じように後悔（equally penitent）しないのか、と（『ディプロマティック・ヒストリー』第17巻第1号）。

そもそも、原爆投下によって戦争終結を早めることで、予想される大量の米兵の犠牲を防ぐことができたという、今日にまで至る繰り返される米国の「公式」見解は、根拠に乏しい。仮にこの主張が正しいとしても、非戦闘員の大量殺戮《さつりく》を正当化することにはならない。リバタリアンの歴史家ラルフ・レイコはこう述べている（『偉大な戦争と偉大な指導者』）。

我々が1945年初頭にドイツに侵攻した際、アーヘン、トリーア、あるいは他のラインラント都市の全住民を殺害することで、ドイツ人の士気を最終的に喪失させることができると、我が指導者たちが信じたとしよう。この場合、戦争は早期に終結し、多くの連合軍兵士の命が救われたかもしれない。そうだとして、女性や子供を含む、何万人ものドイツの一般市民を射殺することが正当化されるだろうか。それは原爆投下と何が違うのだろうか。

ヒトラーもスターリンも、数々の非人道的政策を遂行した。しかし、それには一般市民殺害を主目的とした組織的な無差別爆撃は含まれない。英米の空爆が戦争犯罪であったか否かにかかわらず、それはひとつの戦争観あるいは思想を必要とした。ヒトラーとスターリンにはそれが欠けていたのに対し、チャーチルはこうした戦争観の権化《ごんげ》であった。

一般民衆を対象とした無差別爆撃を是認する思想のもとでは、通常爆弾と原爆の差は、質的なものというより、量的なものであって、手段の違いに過ぎない。市街地への原爆投下とは、チャーチルが体現した無差別爆撃を「正義」とする戦争観の論理的帰結だったのである。

第5章　「人民戦線＝善玉」説の大いなるカムフラージュ

人民戦線は常に嘘、西側に向けた嘘なのだ
スティーブン・コッホ

「スペイン内戦」にはびこる根強い通説

しばしば第二次大戦の前哨戦であったと言われるスペイン内戦をめぐっては、以下のような理解が、多少とも内戦に関心がある知識人の間で一般的となっている。

独伊ファシズムの脅威が欧州に暗い影を落とすなか、１９３１年に王制から共和制に移行したスペインでは、独伊寄りの保守反動政権に抗して、共産主義者を含む民主勢力が一致して人民戦線（Frente Popular）を形成し、１９３６年に政権を奪取した。しかし、保守反動勢力の中核をなす軍部は、スペインの民主化を阻止するため、フランコをリーダーとして反乱を挙行する。

内戦が始まると、世界中の進歩的文化人や組織が共和国（人民戦線）政権を支援し、多くの若者が国際旅団の一員として共和国側に立って戦闘に従事した。ところが、本来、デモクラシー陣営の中核として、共和国政権を支援すべき英仏が、内戦に対して中立を維持したため、独伊の全面支援を受けた反乱軍が共和国軍を圧倒する。

その結果、1939年9月の第二次大戦開始を前にして、スペイン内戦では民主勢力がファシズム勢力に敗れ、同年4月に反乱軍勝利のうちに戦闘は終結した。大戦に敗れ姿を消した独伊ファシスト体制と異なり、その支援を受けて誕生したスペインの独裁政権は、その後四十年にわたって、1975年にフランコが死ぬまで続く。

この一般に流布したスペイン内戦観には、大きく分けて二つのバージョンがある。それはソ連の役割をめぐる解釈の違いである。

ひとつは、民主勢力の一員であるスターリン率いるソ連は、英仏に見捨てられた共和国政権を積極的に支援したというもの。ソ連政府や各国共産党はもちろん、かつては世界中の進歩的文化人の間で共有された見方である。

もうひとつは、スターリンの共和国「支援」は、民主勢力を助けるためではなく、スペイン共産党を通じてこの国を支配するためであり、実際、共和国政権内でソ連の意向に従わない理想主義者たちを次々に粛清し、政権の傀儡《かいらい》化を進めたという見方である。

ジョージ・オーウェルの『カタロニア讃歌』は、後者の内戦観を代表するものであり、フルシチョフによるスターリン批判以降、一部の親ソ派以外、知識人の世界ではこちらの見方が通説になったといってよい。

ただし、両方の見方とも、ソ連及びスペイン共産党を含めるかどうかは別にして、共和国政権を民主的勢力として善、フランコ反乱軍をファシスト勢力として悪とする単純な二元論に立脚している点には変わりない。

しかし、こうした反ファシズム史観に基づくスペイン内戦解釈は根拠薄弱であり、第3章で述べたゲルニカ神話は、その一例に過ぎない。ペイン米ウィスコンシン大名誉教授やスペインの元毛沢東主義者ピオ・モアは、そもそも共産党以外の人民戦線勢力も、議会制デモクラシーという点からすれば、決して民主的とはいえないこと、それればかりか暴力革命を志向し、実践していたこと、それに比べれば、むしろ、内線前に彼らにファシスト呼ばわりされた右派勢力の方が民主的であったことを示したのである。

かつて左翼のスターだったモアは、スペインでベストセラーとなった『内戦の神話』などで、反ファシズム史観を粉々に打ち砕いたため、日本同様に左翼・リベラルが主導するスペインの知識人の世界では、「存在しないもの」(nonperson) として扱われている（ポール・ゴットフリード『ファシズム』）。

ほとんどの研究者がモアの著作を無視あるいは否定的に扱うのに対し、ペイン教授はモアを高く評価する。モアもスペイン内戦の研究者を三種類に分類し、ペインは自らと同じ「フランコ派」(franquista)(他の二つはマルクス主義者と感傷的モラリスト)に属するとしている(モア『スペイン内戦(1936―1939)』)。

あくまでも学者らしい冷静さを保つペインと、活動家らしく論争的なモアという、著述スタイルの違いはあるけれども、事実に基づく主張には、重なるところが多い。ここでは主にペイン教授の業績に依拠して、スペイン内戦の実情、とくにドイツ、イタリア、そしてソ連と内戦の関わりを中心に素描する。

ペイン教授は、従来の反ファシズム史観の色眼鏡《めがね》を通して描かれたスペイン内戦の歴史認識に根本的修正を迫る、事実に基づく緻密《ちみつ》な研究を半世紀にわたって行ない、スペイン現代史研究で世界的に第一人者と認められた存在であり、スペイン本国でも高く評価されている。

なお、邦語文献では、フランコの生涯を描くなかで、ゲルニカ空爆を含むスペイン内戦神話の虚構を暴いた色摩力夫《しかまりきお》元駐チリ大使の『フランコ　スペイン現代史の迷路』を特記しておきたい。また、ペイン教授の先駆者と言えるバーネット・ボロテン畢生《ひっせい》の大著『スペイン内戦』(序文はペイン筆)には、邦訳がある。

そもそもスペイン内戦は、なぜ起こったのか

1930年に王制下で独裁政治を行なっていたミゲル・プリモ・デ・リベラが退陣し、スペインは大きな混乱を迎える。1931年の統一地方選挙で、後に人民戦線の中核を形成する社会党（社会労働党、PSOE）と左派共和主義者を主体とする左派が勝利し、スペインは共和制に移行する。元首である大統領には共和主義者のニセト・アルカラ＝サモラが就任した。

スペインにも、他国同様、ソ連に完全に従属する共産党が存在したものの、この時点では弱体であった。ただし、他の西欧諸国とは異なり、スペインの社会党や左派共和主義者は暴力革命志向であり、実際、選挙での左派勝利と前後して、旧体制の象徴であるカトリック教会の施設破壊や掠奪が、左派指導者の使嗾《しそう》あるいは黙認の下で行なわれた。

左派の政権運営は混迷を極め、多くの国民が左派政権に失望するなか行なわれた1933年の総選挙では、保守カトリック連合CEDAが第一党となる。ところが、アルカラ＝サモラ大統領がCEDA党首のホセ・マリア・ヒル＝ロブレスを嫌ったため、左派から離脱した急進党のアレハンドロ・レルーがCEDAの協力を得て首相に就任した。「急進」

党はその名に反し、フランスの急進社会党同様、社会党より右の中道政党であり、日本で言えば、かつての民社党に近い。

中道右派政権誕生を受けて、左派はその非民主的性格を露わにする。アルカラ＝サモラ大統領に、選挙を無効にするよう要求したのである。選挙に不正があったと主張したのではない。左派が勝利しなかったことが「不正」だとしたのである。左派寄りの大統領も、さすがにこの要求は拒否した。

この後、各地で左派勢力による暴力事件が頻発、1934年にはアストゥリアス地方で大がかりな暴動が発生した。この暴動鎮圧をめぐって、中道右派政権は国内左派のみならず、コミンテルンの効果的なプロパガンダによって、国際的にも非難を浴びる結果となった。しかし、実際には、この暴動への対応と処分は、むしろ穏便といえるものであった。

1935年、レルー首相は汚職スキャンダルで退陣に追い込まれ、中道派の急進党は壊滅状態となった。このときアルカラ＝サモラ大統領は、またしてもヒル＝ロブレスの首相任命を拒否し、子飼いの政治家を首相に任命した。さらに、大統領は国会を解散し、総選挙が1936年2月に行なわれることが決まった。

前年のコミンテルン大会で人民戦線路線が採用されたなか、この総選挙に向けてスペインでも、社会党、左派共和主義者、共産党を中核とする人民戦線が形成され、人民戦線派すなわち左派が、ＣＥＤＡを中核とする右派に勝利した。

決して民主的ではなかった「人民戦線」

人民戦線派の勝利については、従来の通説では、二つの重要な事実が意図的に無視されてきた。

まず第一に、同時期に成立し政権を獲得したフランスの人民戦線においては、共産党はともかく、社会党も急進社会党も議会制デモクラシーに忠実であったのに対し、スペインの人民戦線は、議会制デモクラシーを否定する勢力から成っていたことである。スペインではフランスやドイツと違い、共産党ではない共産主義的あるいはジャコバン的勢力が主体となって政権を奪取したのである。内戦開始後、１９３７年まで人民戦線内閣を率いた社会党のフランシスコ・ラルゴ・カバリェロは、「スペインのレーニン」(Lenin español)と呼ばれていた。

第二に、得票率では右派が47％、人民戦線派が46％と拮抗《きっこう》していたのに、得票率をそのまま反映しない選挙制度ゆえ、人民戦線派が勝利したことである。選挙が平穏に行なわれた地域では、右派が人民戦線派を7％上回ったのに対し、人民戦線派による暴力行為が頻発し、騒然とした環境で選挙が行なわれた地域では、人民戦線派に有利な結果となっていた。

さらに、右派が勝利した、伝統的に保守的なグラナダ地方などの選挙が「不正」だとして無効となり、再選挙となった。右派は選挙への参加を事実上拒否され、5月の再投票で人民戦線派が「圧勝」した。その結果、人民戦線派は議会で圧倒的多数を占めることとなった。

ペイン教授は、この1936年のスペイン総選挙に比べれば、ヒトラーが政権獲得後に実施した1933年3月のドイツ総選挙の方が、まだ公正であったとしている。

人民戦線派の暴力行為は決して、右派の暴力に対する「自衛」ではない。中道勢力はもちろん、反ファシズム史観では「ファシスト」視されてきたCEDAも、一部末端の散発的事例はあったにせよ、暴力には否定的であった。「ファシスト組織の特徴をより多く持っていたのは、CEDAではなく社会党であった」（ペイン『欧州の内戦　1905―1949年』）。

物情騒然とするなか、人民戦線派に加え、アナーキスト主導の労組CNT（その信条に忠実に、選挙には参加しなかった）による暴力行為が蔓延《まんえん》し、危機感を抱いた軍の一部はクーデターを計画する。ただし、その中心人物はエミリオ・モラ将軍で、フランコではな

表5ー1:スペイン内戦・始まりと終わり

1930年	1月	王制下、独裁者プリモ・デ・リベラ首相退陣
1931年	4月	統一地方選挙で左派が勝利し国王アルフォンソ13世退位、共和制に移行
	12月	新憲法に基づき初代大統領にアルカラ＝ サモラが就任
1933年	11月	総選挙で保守カトリック連合が勝利
	12月	レルー首相就任（中道右派政権）
1934年	10月	アストゥリアス地方で左派による大がかりな暴動が勃発し、政府軍が鎮圧
1935年	9月	汚職事件により、レルー首相退陣
1936年	2月	総選挙で左派（人民戦線派）が勝利
	5月	アサーニャ大統領就任
	7月	（13日）右派指導者カルボ・ソテロが警察に誘拐・殺害される
		（17日）各地で軍の一部による反乱が勃発（内戦の始まり）
	9月	「スペインのレーニン」ラルゴ・カバリェロ首相就任
	10月	フランコ麾下モロッコ駐屯軍の本土輸送が完了
1937年	4月	（26日）ゲルニカ爆撃
	5月	バルセロナ五月事件（人民戦線内の内ゲバ事件）、社会党のネグリンが首相就任（ソ連盲従政権）
	10月	バスク地方を含む北部を国民（フランコ）軍が制圧
1938年	9月	ミュンヘン会談。英仏が対独宥和を継続
1939年	2月	カタロニア地方を国民軍が制圧
	3月	マドリードを、国民軍が制圧
	4月	（1日）フランコによる勝利宣言（内戦の終わり）

かった。

１９３６年7月13日、最終的に軍の一部に反乱を決意させる事件が起こる。右派を代表する政治家ホセ・カルボ・ソテロが警察によって誘拐され、殺害されたのである。もう一人の右派リーダー、ヒル＝ロブレスは、たまたまマドリードにおらず、難を逃れた。単なる末端の跳ね上がりによる犯行ではなく、警察の組織的犯行という点で、ペイン教授が指摘するように、欧州議会制デモクラシーの社会では例を見ない事態である。

実は、ソテロ殺害前の7月1日、社会党議員アンヘル・ガラルサが国会で、場合によっては暴力も合法であり得るとしたうえで、カルボ・ソテロに対し「すべてが、命を奪う襲撃さえ、正当化される」(justificado todo, incluso el atentado que le prive de la vida) という脅迫的言辞を浴びせていた（ヒル＝ロブレス『平和は不可能だった』）。

そのガラルサが内戦開始後、人民戦線内閣で内相に就任する。

人民戦線派の暴力を伴った革命路線に反対する側にとって、「今や反乱を起こすより、起こさない方が危険に思える」状況となった（ペイン『スペイン内戦』）。

7月17日、モラ将軍が率いる軍の一部が、ついに各地で反乱を開始、これまで立場を鮮明にしてこなかったフランコも参加した。

ペイン教授は、軍の反乱がスペインのデモクラシーを転覆させたという、長年繰り返されてきた人民戦線派の主張は嘘だとして、こう述べる（ペイン『欧州の内戦』）。

反乱軍にデモクラシーを回復させるつもりはなかったにしても、彼らがデモクラシーを破壊したと非難するのはお門違いだ。なぜなら、スペインにはもう選挙に基づくデモクラシーなど存在していなかったのだから。

フランコの勝因はモロッコ駐屯軍の本土空輸

スペイン内戦というと、民衆に支えられた人民戦線政府に対して、独伊に支援された軍が一体となって反乱を起こしたというのが「常識」となっている。

しかし、前述したように、内戦直前の選挙は接戦であり、そもそも、軍内部も割れていた。海軍と空軍は大半が人民戦線政府に与《くみ》した。陸軍については、最強とされたフランコ指揮下のモロッコ駐屯軍は反乱に与したものの、本土では両者に割れた。

したがって、反ファシズム史観に基づく、「正義の民主的共和国」対「悪のファシスト反乱軍」という構図は誤りである。スペイン内戦は、暴力を用いてでも社会を根本から変革しようとする革命勢力たる人民戦線派（frentepopulista）と、カトリック色の強い伝統的なスペインを維持しようとする国民派（nacional）の争いと見るのが実情に合っている。革命思想の一種であるイタリア・ファシズムに影響されたファランヘ党は、実質的にはほとんど影響力を持たず、逆にフランコに体《てい》よく利用されただけであった。

人民戦線派の反カトリック姿勢は徹底しており、内戦中、人民戦線派支配領域で殺害された聖職者は、その一割に相当する七千人に上る。その大半は内戦当初の1936年秋に殺害された。聖職者は人民を搾取《さくしゅ》する圧政の擁護者だとする人民戦線派の主張は、全く根拠がない。1931年に共和制に移行して以来、資産没収や学校閉鎖など、政教分離を名目に宗教弾圧が行なわれ、内戦が始まる前の時点で、教会は往時の力を失っていた。一方、国民派はカトリック擁護を前面に掲げることで、国民の間に支持を広げる。

「国民派」という表現は、「ナショナリスト」（nacionalista）との違いを意識して、フランコ側が好んで用いたものである。国家を至上視するという意味でのナショナリズムは、そもそも普遍主義を意味するカトリシズムと相容れない。カトリック信仰よりも民族主義を前面に出した独立志向の強いバスク自治政府とカタロニア自治政府は、逆に人民戦線政府に与したのである。

1936年7月の内戦勃発当初、地中海の制海権を人民戦線軍が掌握するなか、二万名を超えるモロッコ駐屯軍を、海の向こうのスペイン本土に迅速に輸送できるか否かに、国民軍の命運がかかっていた。

そこで、フランコは史上初めて、大規模な空輸作戦を断行する。航空戦力の不足を補うため、フランコはヒトラーとベニート・ムッソリーニに支援を要請、二人の独裁者はそれぞれ独自の判断で、限定的な規模ながら、この要請に応じた。独伊の支援とともに、敵海軍の無能に助けられ、10月には、モロッコ駐屯軍の本土輸送が完了した。

この後も、独伊は国民軍の支援を継続したものの、ヒトラーとムッソリーニの対応は大きく異なっていた。地中海の覇者を目指すムッソリーニにとって、スペインを自国の勢力圏に収めることは最重要課題であったのに対し、東欧を主眼とするヒトラーの対外政策にスペインはほとんど関係ない。

スペイン情勢についてのヒトラーの思惑

しかし、ヒトラーにとって、スペイン内戦は年来の目的を果たすための絶好の機会となった。独伊接近である。実は、1934年ごろまでの独伊関係は、ヒトラーの「片思い」であり、ムッソリーニはドイツのオーストリア併合に反対するなど、英仏とともにドイツ包囲網を形成していた。

スペイン内戦が長引けば長引くほど、国際社会の目がドイツ再軍備から遠のき、人民戦線政府支援をめぐり国論が二分されたフランスの政治的混乱が続くうえ、英仏とイタリアの関係が悪化し、イタリアはドイツに頼らざるを得なくなる。実際、ドイツは第三国を通じて、人民戦線軍にも武器を売却しており、ヒトラーは、内戦早期終結はドイツの国益に合致しないとしたうえで、側近にこう語ったとされる（ロバート・ウィーリー『ヒトラーとスペイン』）。

当分の間スペイン問題が欧州の関心を引きつけ、したがってドイツへの関心を削ぐことになれば、ドイツの政策はさらに前に進む。

1938年春、ヒトラーは、フランスと国境を接するカタロニア地方ではなく、南のバレンシアを攻めるようフランコに進言することを、国民軍支援を担当するエルヴィン・イエーネッケ独陸軍大佐に命じる。人民戦線派の拠点であるカタロニアを占領すれば、内戦が終わってしまうからである。

この後、フランコは内戦時の戦争指導で最も疑問とされるバレンシア進攻作戦を行ない、内戦勝利は一年後の1939年4月に持ち越された。ただし、この作戦が、ヒトラーの「忠告」を入れたものなのか、あるいは、国境から遠ざかることでフランスが直接介入する事態を避けようとした、フランコ独自の政治判断によるものかは不明である。

内戦が進むにつれ、スターリンの傀儡《かいらい》と化した人民戦線政府と異なり、フランコは最後まで自主性を保ち、ヒトラーもムッソリーニも過度の政治介入は避けていた。ヒトラーの場合は、そもそも関心がなかったというべきかもしれない。国民派の独伊からの独立性は、フランコが１９３８年９月のミュンヘン会談に際し、独伊の意向に反し、欧州の来るべき紛争に中立を表明したことに端的に表れている。

借款でファイナンスされた独伊の軍事支援は、ほぼソ連の人民戦線軍支援に釣り合っており、独伊の支援が国民軍勝利を決定付けたとは言えない。ただし、国民軍が敵から捕獲したソ連製戦車などが、当初の装備における劣勢を挽回するのに貢献したことは、あまり知られていない。ドイツが第二次大戦の前哨戦として、新兵器あるいは新兵器の実験場としたという説には根拠はない。「スペイン内戦は、おおむね［本格的地上戦には至らない］低強度紛争（low-intensity conflict）であり、主にすでに旧式となっていた武器を用いて戦われた」（ペイン『スペイン内戦』）。

ヒトラーによる他国の戦争を利用した、イタリアを自陣営に引き込むための権謀術数外交は、スペイン内戦が初めてではない。対エチオピア戦争によって、イタリアが１９３５

年に国際連盟に侵略国と認定され、経済制裁を科されるなか、すでに連盟を脱退していたドイツが友好的対応をしたことが、独伊関係改善のきっかけとなった。

このときも、尻抜けの経済制裁に参加するだけだった英仏などと異なり、ヒトラーは密かにエチオピアに軍事支援を行なっていたのである。この事実は、第二次大戦後、仏『フィガロ』のインタビュー（1956年3月26日付）で、「我々に具体的支援（soutien concret）を提供してくれた唯一の国家（略）それはドイツ、ヒトラーのドイツだった」と、エチオピアのハイレ・セラシエ皇帝自身によって明らかにされた。

ソ連の傀儡と化した人民戦線政府

スペイン内戦は、国の在り方をめぐる考え方の相違を平和的に調整することができず、武力衝突に至ったという点で、もっぱら国内事情に起因する紛争であった。人民戦線派はロシア革命に類似した社会変革を目指していたけれども、内戦が始まった段階では、ソ連とその「下部組織」であるスペイン共産党の影響力は限定的であった。

そもそも、ソ連は、共産党以外の人民戦線派の暴力革命路線に否定的であり、第二次大戦後の東欧、とくにチェコスロバキアで行なったように、徐々に国家権力中枢に浸透する人民共和国方式、つまり「平和的」共産化を企図していた。

　しかし、意に反して内戦が始まると、独伊の支援は限定的と見て、スターリンは人民戦線派を積極的に支援する「X作戦」（Операция X）を開始し、スペインを自らの勢力下に置こうとする。しかし、独伊とは異なり、スターリンは武器供与に当たって「前払い」を求めた。内戦前、スペインの中央銀行は世界有数の金準備で知られており、人民戦線政府は、ソ連の要請により、五億ドル（現在の価値で百億ドル）相当の金塊を、ソ連に移送したのである。

　スターリンに完全に首根っこを押さえられるかたちとなった人民戦線政府内で、これまで弱小勢力であった共産党の力が急速に伸長する。「ソ連の干渉は（略）人民戦線政府を、クレムリンの真正な保護国（auténtico protectorado）に変えた」（モア『内戦の神話』）。なお、ソ連は「預かった」金塊価値に相当する武器を供与したとして、内戦終結後も、全く返還しなかった。

　スターリンの予想に反し、独伊も本格的に国民派を支援したため、内戦の長期化が必至となる。現実主義者フランコの指導の下、一致して敵に当たった国民派と違い、人民戦線派は内紛が絶えず、国民軍と戦うよりも、支配領域内の「ブルジョア」勢力弾圧に邁進《まいしん》する革命分子も少なくなかった。従来、反ファシズム史観の影響下、国民派による弾圧のみが強調されてきたけれども、人民戦線派の弾圧も少なくとも同等に過酷であった。「ブルジョア」を敵視する硬直的革命方針の下、人民戦線派支配領域では、経済活動が停滞し、慢性的食糧不足に見舞われて死亡率が上昇したのに対し、国民派支配領域の民生は安定していた。

スペイン共産党は、ソ連秘密警察と協力し、人民戦線派内の粛清を断行する。ソ連の干渉に対して政府の独立性を維持しようとした「スペインのレーニン」ラルゴ・カバリェロに代わり、同じ社会党員ながらソ連盲従のファン・ネグリンが1937年5月、首相に就任し、内戦に敗れるまでその職にとどまった。対外的に受けの良い、民主勢力が結集した人民戦線というイメージを守るため、スターリンは最後まで、非共産党員を首相として担ぎ続けたのである。

反ソ革命勢力の拠点となっていたカタロニア地方での自身の経験をもとに、粛清される側の視点から、スターリンと共産党による革命への裏切りを告発する目的で書かれたのが、オーウェルの『カタロニア讃歌』である。親ソであることが、すなわち民主的・進歩的とされた当時、オーウェルは知識人の世界で孤立する。

ところが、ソ連本国で、スターリンの死後にその犯罪が断罪され、反スターリンが共産党の「教義」に組み入れられて以降、むしろ、ファシストのみならずスターリンによって二重に裏切られた民主的なスペイン共和国というオーウェルの「物語」は、左翼・リベラルの定番となった。

しかし、理想に燃える革命家たちは、共産党による弾圧の被害者となる前には、反人民戦線派の弾圧に勤《いそ》しんでいたのである。共産党と反ソ革命勢力の内部対立は、要するに、革命遂行に関する意見の相違に基づく、異なるテロリストあるいは暴力集団間の内紛である。人民戦線内の反ソ革命勢力を美化するのは、冷酷な大量殺戮者であったトロツキーやミハイル・トハチェフスキーを、スターリンに殺されたからといって英雄視するのと同じく、「反スターリン」によって共産主義の「理想」を守ろうとする悪あがきと言えば、言葉が過ぎるであろうか。

実際に革命を成し遂げるうえで、どちらの考え方が妥当であったかといえば、組織的に行動できず「左翼小児病」に陥っていた反ソ革命勢力よりも、現実路線のスターリンの方に分があった。したがって、スターリンが革命を裏切ったとはいえない。スターリンが人民戦線政府を裏切ったという「伝説は二十世紀の終わりにおいてさえ繰り返されていたけれども、そのような証拠は存在しない」。ヒトラーが和平提案を受け入れない以上、「スターリンには、その全般的な集団安全保障政策の一環として、共和国［人民戦線政府］の抵抗を支援しつづける以外、他に選択肢はなかった」（ペイン『スペイン内戦』）。

コミンテルンの掌で踊る進歩的文化人

スペイン内戦時のソ連秘密警察の暗躍に関しては、スターリンの死後、反ファシズムに加え、反スターリンが左翼・リベラル知識人の旗印となったため、今では、事実として広く知られるようになった。

共産主義者すなわちスターリニストといってよかった当時、トロッキーの影響を受けた共産主義者が一定の力を維持していたほとんど唯一の国がスペインであった。ソ連への金塊移送にも深く関与した、スペインにおけるソ連秘密警察の責任者アレクサンドル・オルロフは、1937年6月に、トロッキーの影響下にあった反ソ共産主義政党POUM党首アンドレウ・ニンを殺害する。しかし、大粛清の嵐が吹き荒れるなか帰国命令を受けたオルロフは身の危険を感じ、カナダを経て米国に亡命した。

オルロフの後を受けて、秘密警察の責任者となったのが、1920年代に中国及び満州で謀略工作に従事し、張作霖爆殺にも関与したと言われているエイチンゴン（第1章参照）である。内戦後、エイチンゴンは、人民戦線派亡命者の拠点であったメキシコ在住のトロッキー暗殺を命じられ、スペインで知り合った熱烈なスターリン信奉者、カリダード及びラモン・メルカデル母子を実行犯にスカウトする。

トロツキーに支援者として近づき、自宅に自由に出入りできるようになった息子のラモンは、1940年8月、トロツキー殺害に成功するものの、その場で捕えられ、現地で服役する。現場近くでラモンを待っていた母のカリダードとエイチンゴンは逃走に成功した。

その実態が暴露されたスペイン国内での秘密警察の暗躍と異なり、コミンテルンが中心となって行なったスペイン国外でのプロパガンダの実態は、いまだ多くが知るところとならず、その影響は今でも続いている。つまり、我々はいまだスターリンの呪縛《じゅばく》下にあるのだ。

伝説のコミンテルン工作員ヴィリー・ミュンツェンベルクが欧米に張り巡らしたプロパガンダ網の威力は絶大であった。ミュンツェンベルクの評伝『二重生活』でスティーブン・コッホが指摘しているように、「最初からスペイン戦争は人民戦線の嘘で塗り固められ、それは必然的に欺瞞とプロパガンダに基づいていた」。

スペイン内戦に限らず、スターリン治下のソ連に都合がよいように国際世論を誘導するうえで、ミュンツェンベルクのプロパガンダが極めて効果的だった理由は、共産党色を決して表に出さず、進歩的文化人を全面的に活用したことにある。時には本質的ではない論点でソ連を批判するものの、ソ連あるいは共産党を進歩勢力の一員と認め、反共主義者を保守反動と非難する知識人たちである。

共産党の公式見解や共産党員知識人たちの主張と違って、高名な進歩的文化人の発言は、その「中立性」ゆえ、インテリの世界で大きな影響力を持つ。中には「確信犯」も含まれていたにせよ、こうした進歩的文化人の大半は、自らがコミンテルンに踊らされていることに気づいていなかった。ミュンツェンベルクは、英語で《fellow traveler》（ここでは「シンパ」と訳しておく）と呼ばれるこうした知識人たちをメンバーとするフロント組織を、「お人よしクラブ」（Klub der Harmlosen）と呼んで軽侮していた。

ミュンツェンベルクの内妻バベッテ・グロスは、彼がシンパの創設者だという一般に広まっている説は誤りであり、シンパは以前から存在していたとしたうえで、こう述べる。「彼の功績はむしろ、シンパを空前のスケールで動員し、共産主義者のために利用したことにある」（グロス『ヴィリー・ミュンツェンベルク』）。

「お人よし」文化人の代表、アインシュタイン

ミュンツェンベルクは、シンパを利用するに当たり、決して偶然に任せるようなことは

しなかった。無関係に見える別々の工作も、冷徹な計算のうえで行なわれていたのである。

シンパのなかで、とくに徹底的に利用された「お人よし」が、アルバート・アインシュタインであった。グロスによれば、ある署名活動を展開していたミュンツェンベルクは、秘書に「今すぐアインシュタインに電話して、彼に署名するよう依頼せよ」と命じる。もちろん、アインシュタインは署名に応じた。

スペイン国外のインテリに対しては絶大な威力を発揮したコミンテルンのプロパガンダであったけれども、内戦に至る実情をその目で見たスペインの知識人の多くは、人民戦線派ではなく国民派を支持し、スターリンに手玉に取られる「お人よし」を批判する。

「共和国の精神的父」(padres espirituales de la república) と言われたスペインを代表する自由主義知識人、ホセ・オルテガ・イ・ガセット、グレゴリオ・マラニョン、ラモン・ペレス・デ・アヤラも、内戦が始まると、人民戦線政府を厳しく批判する。

オルテガは、1938年に英国の評論誌『ナインティーンス・センチュリー』(第124号) に掲載された「平和主義考」という論文で、プロパガンダに乗せられ人民戦線派を美化する英国での論調を痛烈に批判する。とくに槍玉《やりだま》に挙げられたのが、アインシュタインであった。

アルバート・アインシュタインは、先に自らがスペイン内戦について意見を発する「権利」を持っていると考えた。アインシュタインは、スペインの過去、現在そして未来について最も完全な無知を享受している。彼をこうした無礼な干渉に衝き動かしている精神は、知識人の全般的な威信喪失を長年もたらして来たものと同じである。

国民派に対しても一定の距離を置いていたオルテガに比べ、マラニョンとペレス・デ・アヤラは、正面切ってフランコ支持を打ち出した。内戦前に駐英大使を務めたペレス・デ・アヤラは英『タイムズ』(1938年6月10日付)でこう宣言していた。

道徳的真理に対する敬意と献身に基づき、私はスペイン共和国が悲劇的失敗に陥ったことを告白せざるを得ない。(略)国民派の運動が始まったときから、私は明確にこの運動に同意し、フランコ将軍への不変の支持を表明してきた。私自身の二人の息子が、ともに国民軍の最前線で一兵卒として戦っていることは、私にとって誇りであり名誉である。

身の危険を察知して、早くに人民戦線派支配領域から脱出したオルテガらは助かったものの、人民戦線派に殺害された知識人は、ラミロ・デ・マエストゥ、ペドロ・ムニョス・セカなど、枚挙に暇《いとま》がない。国民派による詩人フェデリコ・ガルシア・ロルカ殺害が国際的非難の対象となり、今も「ファシスト」の暴虐の象徴となっているのに対し、人民戦線派による知識人殺害は、忘れ去られたままである。

「確信犯」だったヘミングウェイ

ところで、国外の人民戦線支持者のなかには、アインシュタインのような「お人よし」ではなく、コミンテルンのプロパガンダに意図的に加担した知識人も存在した。パリ解放後にフランスで共産党に入党したピカソの場合、どれほどの信念があったかわからないけれども、ある高名な作家は「確信犯」であった。スペイン内戦をテーマとした『誰《た》がために鐘は鳴る』を書いたアーネスト・ヘミングウェイである。

内戦中、コミンテルンによるプロパガンダの拡声器の役割を果たしたヘミングウェイは、ソ連崩壊後に公開され、その内容の正確さに定評がある機密文書「ヴァシリエフ・ノート」に「アルゴ」(Apro) というコードネームを与えられた工作員として登場する。ただし、宣伝要員としては優秀だったものの、スパイとしての「実績」は無に等しかったようである（ジョン・アール・ヘインズ他『スパイたち』）。

コミンテルンによるプロパガンダの成功例として忘れてはならないのが、『誰がために鐘は鳴る』をはじめ、デモクラシーを守るため命を投げ出した正義の志士としてロマンチックに描かれることの多い、主に欧米の若者が志願兵（義勇兵）として参加した「国際旅団」である。実際には、コミンテルンが各国共産党を使って集めた志願兵の大半は、共産党員であり、自らもその一員だった米国の作家ウィリアム・ヘリックは、後年、こう語っている（ヘリック『列を越えて』）。

確かに我々はファシズムと戦うためにスペインに行った。しかし、デモクラシーは我々の目的ではなかった。国際旅団志願兵の心の奥底に分け入って理解するには、彼らが何者であったかを知らねばならない。我々は、その圧倒的多数が共産主義者であり（略）レーニンの信奉者であったのだ。

しかし、その事実は隠されねばならなかった。スペイン入国の際、ヘリックらを統率する責任者はこう注意する。「誰かに訊《たず》ねられたら、我々は共産主義者ではなく、反ファシストと答えることを忘れてはならない」と。国境通過時、「革命万歳！」と叫ぶアナーキストの国境警備兵に対し、志願兵たちは教えられたとおり、「人民戦線万歳！」と応じた。ヘリックは皮肉を込めてこう述懐する。

我々は誰も騙しはしなかった。レーニンの表現を借りれば、役に立つ白痴（useful fools）、すなわち我々の大義に馳せ参じたシンパ（sympathizers）たちを除けば。

さらに、国際旅団はソ連情報機関に望外の贈り物をもたらした。ソ連のスパイ活動に欧米諸国のパスポートは必須であるものの、とりわけ米国のパスポートは偽造が難しかった。ところが、国際旅団のおかげで、本物を易々《やすやす》と手に入れることができたのである。スペイン入国時に志願兵から取り上げられたパスポートは直ちにソ連に送られ、新しい持ち主である情報機関員用に作り変えられた（ワルター・クリヴィツキー『スターリン時代』）。

支援した人民戦線派が敗れたとはいえ、スペイン内戦をめぐる「反ファシズム」プロパガンダは、スターリンに大きな利益をもたらす。内戦はちょうど、スターリンによる恐怖政治が頂点に達した時期に重なり、ソ連国内では、グリゴリー・ジノヴィエフ、レフ・カーメネフ、ニコライ・ブハーリン、トハチェフスキーのような最高幹部以下、少なくとも数十万人の政府・党・軍関係者及び民衆が次々に処刑された。前述のトロツキー暗殺は、いわば大粛清の仕上げであった。

レーニンやスターリンとともにロシア革命を成就《じょうじゅ》させ、建国後も要職を占めてきた革命の闘士たちが、ナチス・ドイツなどの支援下、反革命を企てたとして処刑されたことに、ソ連国外で衝撃が走る。筋金入りの共産主義者ですら、このような荒唐無稽《こうとうむけい》なでっち上げを信じることが難しいなか、これまで一般に親ソ的だった欧米知識人のなかでも、スターリンへの疑念が拡がる。

しかし、コミンテルンのプロパガンダは、スペイン内戦を「デモクラシーとファシズムの戦い」として描き、この構図を知識人の間に浸透させることに成功する。この枠組みの下では、当然、ソ連はデモクラシー陣営に属することになる。こうして、スターリンは、自国への批判をかわすとともに、進歩的で民主的なソ連というイメージを維持することに成功したのである。

「大いなるカムフラージュ」

ボロテンは、今から半世紀以上も前に、膨大な資料を用いて最初に反ファシズム史観の虚構を明らかにした著書の題名を『大いなるカムフラージュ』と名付けた。

共和制移行後、内戦が始まる前からスペインで生じていたのは、議会制デモクラシーの発展ではなく、革命であった。それにもかかわらず、「近現代革命の比較史において、スペイン革命はしばしば見逃されている」（ペイン『スペイン内戦』）。

それにはいくつか理由があるけれども、当事者である革命勢力自身が、革命の存在を否定したことが大きい。国際世論を味方につけ、欧米デモクラシー国家からの支援を得るために、人民戦線政府下の共和国が、私有財産制に基づく議会制デモクラシーであるかのように見せかけること、すなわち「大いなるカムフラージュ」が行なわれたのである。こうして、「スペイン革命は、自らの正体をあえて名乗ろうとしない革命となった」（ペイン『スペイン内戦』）。

欧米諸国の進歩的文化人という「お人よし」たちを徹底的に利用したコミンテルンのプロパガンダによって、スターリンは、人民戦線派が革命勢力であり、内戦は人民戦線派の暴力革命路線に起因するものであることを隠蔽《いんぺい》するのに成功したのである。

奇妙なことに、米国をリーダーとする西側との冷戦に敗れてソ連は消滅したのに、日本を含む他の旧西側諸国と同様、スペインでも反ファシズム史観は逆に勢いを増す。かつて暴力革命を主導した社会党（ＰＳＯＥ）の書記長ホセ・ルイス・ロドリゲス・サパテロが首相として率いるスペイン政府は、保守野党の反対を押し切って、２００７年に「歴史記憶法」(Ley de Memoria Histórica) を成立させる。この法律によって、スペイン内戦と「独裁政治」(Dictadura) 下における弾圧の「非合法性」(ilegitimidad) が宣言されるとともに、過去の不正への補償も明記された。

「歴史記憶法」は、内戦後のフランコ統治を「独裁政治」として非難するのみならず、スペイン内戦に関しても表面上は「中立」を装いつつ、実際は人民戦線派の立場から、個々の条項を規定している。たとえば、コミンテルンの完全な支配下で、主に暴力革命を是とする共産主義者から構成されていた国際旅団に対する扱いである。志願兵たちは「民主的価値を守るために」(por la defensa de los valores democráticos) 戦ったことにされ、希望する生存者には、自国籍を放棄することなく、スペイン国籍が与えられることとなった。

ペイン教授が指摘するように、コミンテルンのプロパガンダ、すなわちスターリンの謀略である、ソ連を含むデモクラシー対ファシズムという枠組みに基づく反ファシズム史観が、スペインでは政府によって公認されたのである（ペイン『欧州の内戦』）。

二十一世紀になって、社会主義と集産主義（collectivism）が信用を失うなか、人民戦線政権下の「民主的共和国」（Republican democracy）というドグマが、一般的にスペイン左派のみならず、とくにサパテロの社会党政権（この見解を２００７年に法定化した）にとって、公定の作り話（official fiction）となった。

残念ながら、洋の東西を問わず、反ファシズムの神話はいまだ強固である。しかし、フランコが亡くなって四十年以上が経った今日、スペインの経済発展の礎を築き、議会制デモクラシーへの移行を準備した、フランコの「独裁政治」を冷静に評価すべきであろう。それは功罪相半《なか》ばするというよりは、明らかに功が罪を上回っていた。

一方、フランコ統治とは比較にならないほど過酷だったソ連東欧共産主義国家と同様の体制を目指し、暴力の行使を躊躇《ちゆうちよ》しなかった人民戦線派は、否定の対象たるべきである。「フランコは、民主的共和国に抗してではなく、深刻な革命の危機に抗して反乱を起こしたと信じていた」。そして、事実が示すとおり、「彼は正しかった」（tenía razón）のである（モア『内戦の神話』）。

Ⅲ　「憲法フェティシズム」の果て

第6章　ワイマール体制とナチスの誕生

憲法への忠誠は憲法フェティシズムに陥ってはならない

エルンスト・フレンケル

日本の憲法議論、米国の憲法議論

安倍晋三《あべしんぞう》首相（当時）が政権の最重要案件のひとつとしていた安全保障関連法が、2016年3月に施行され、集団的自衛権に基づく武力行使が自衛隊にも認められることとなった。

これまで、集団的自衛権の行使は、憲法上許される必要最小限の範囲を超えるものとされてきた。そのため、憲法を改正せず、憲法解釈変更に基づく法律改正で対応した安倍政権は、野党だけでなく法学者からも、立憲主義に反するという批判を受け続けている。

安全保障関連法の審議の過程を通じて、残念ながら、現在の国際情勢に鑑《かんが》みて、今後の日本の国防がどうあるべきかという議論は深まらなかった。議論は、内容の是非ではなく、憲法解釈変更で集団的自衛権の行使に道を開くことが合憲か違憲かという「形式」論に終始した。ただし、軍事外交をめぐる議論で「法匪《ほうひ》」が幅を利かすのは、戦前の「不戦条約」批准の際にも見られた（第12章参照）、我が国の「伝統」であり、戦後特有の現象ではない。

一方、立憲主義の本家ともいえる米国では、政府の憲法解釈は、良い意味でも悪い意味でも柔軟である。実は、米国では、憲法は滅多に改正されない。制定直後の権利章典と呼ばれる修正第1〜10条を除けば、二百年以上にわたる歴史で十七回、第二次大戦後に限れば六回である。しかも、これには他国であれば法律で決めるような技術的改正も含まれている。

日本の江戸時代中期にあたる18世紀後半に建国してから、米国も世界も大きく変わったのに、米国憲法の条文はほとんど変わっていない。条文を改正するのではなく、解釈を変更することで、米国は、時代の変化に対応しつつ、憲法をみだりに変えない「不磨《ふま》の大典」として、政治的統一体としての連続性を保ってきたわけである。

たとえば、戦争に関する憲法解釈は、第二次大戦後、あっさりと変更される。議会の専権事項（第1章第8条第11項）となっている戦争の宣言は、第二次大戦の枢軸国に対する宣戦布告を最後に、七十年以上、一度も行なわれていない。朝鮮戦争もベトナム戦争もイラク戦争も、憲法上の戦争ではないのだ。朝鮮戦争のときは、多少とも憲法に遠慮して、「戦争」(war) ではなく「紛争」(conflict) であり、米国の軍事介入は「警察行動」(police action) であることが強調されたけれども、ベトナム戦争以降は、そんな配慮もなくなっていった。

イタリア出身の米国新左翼の論客ポール・ピッコーネらは、欧州大陸諸国と違って、米国では危機に対処する明確なルールが確立しているとしたうえで、こう記している（『テロス』第122号）。

> トンキン湾［ベトナム軍事介入］決議や、9・11事件後の疑問の多い反テロ法可決など、これまで何度かあったように、通常の法律手続きによって緊急事態への対処を速やかに行なうという（略）極めて強固な政治的コンセンサスが常に存在する。

実際に重大な危機に直面する前に、安全保障関連法を提出し、長期間の審議に応じた安倍前首相は、米国歴代大統領に比べれば、はるかに立憲的というべきか。

「ヒトラーは議会を無視して独裁政権を作った」のか

　さて、風雲急を告げる極東情勢を前に、法整備を進めていた安倍政権に対して、その「危険性」を激しく非難する声が、社民党や共産党のみならず、わずか数年前まで政権を担い、日米軍事同盟を外交の基軸としていたはずの野党第一党、民主党改め民進党（当時）の議員からも絶え間なく発せられていた。

　岡田克也《おかだかつや》代表（現立憲民主党常任顧問）も2016年1月15日のテレビ番組の収録で、「自民党憲法改正草案に盛り込まれた緊急事態条項の創設について『緊急事態になれば、法律がなくても首相が政令で法律を履行でき、権利を制限できる。恐ろしい話だ。ナチスが権力を取る過程とはそういうことだ』と述べた。収録後、記者団に『ヒトラーは議会を無視して独裁政権を作った。自民党の案はそういうふうに思われかねない』とも語った」（『産経新聞』2016年1月16日付）。

　安倍前首相を「反立憲主義的」として、ヒトラーになぞらえるのは、当時、ちょっとした流行となっていた。しかし、ヒトラー政権誕生を後押ししたのは、むしろ、第一次大戦後、ドイツの自由主義者や社会民主主義者に蔓延《まんえん》していた「憲法フェティシズム」

(Verfassungfetischismus) であった(エルンスト・フレンケル、『ゲゼルシャフト』第9巻第12号)。

柔軟な米国の立憲主義と対照的に、個々の条文に「忠実」であろうとするドイツの硬直的立憲主義は、「合法戦術」(Legalitätstaktik) を旨とするヒトラーに利用し尽くされたのである。パウル・フォン・ヒンデンブルク大統領は、決定的瞬間に、「憲法フェティシズム」に抗することができず、非常大権発動によって、ヒトラー政権を阻止することを拒否した。彼は、自らの行為がクーデターと非難され、人生の最後に反立憲的独裁者の汚名を着せられることを恐れた。その結果、1933年1月30日、ヒトラーは首相に就任する。

以下、主にエルンスト・フーバー『ドイツ憲法の歴史』、ハインリヒ・ヴィンクラー『ワイマール1918―1933』、ルドルフ・モルザイ『1933年3月24日授権法』、そしてルッツ・ベルトルト『カール・シュミットとワイマール共和国末期の国家緊急事態計画』に拠りながら、ヒトラーによる政権獲得への道を素描する。

ワイマール共和国の政治体制

第一次大戦に敗れ、ドイツは立憲君主制から大統領を元首とする共和制に移行する。直接選挙に基づく憲法制定会議がワイマールで開かれたことから、ワイマール共和国と呼ばれることが多い。初代大統領には、憲法制定会議選挙で第一党（得票率四割弱）となった社民党（ＳＰＤ）のフリードリヒ・エーベルトが選ばれた。

ベルサイユ条約調印後の1919年8月に制定された憲法は、議院内閣制を基本としつつ、直接選挙で選ばれる大統領に、国家緊急事態における非常大権（憲法の一部停止を含む）を認めた（第48条）。この大統領非常大権の憲法解釈が、ヒトラー政権誕生のカギとなる。なお、憲法の規定により、憲法制定時の大統領エーベルトは、1925年まで職務を続けることとされた。

19世紀後半にオットー・フォン・ビスマルクが統一を成し遂げるまで、ドイツでは小国が分立していた。そのため、プロイセン主導の統一後も、バイエルンをはじめとする地方政府に大きな権限が残された。ワイマール共和国においても、「ラント」（Land）と呼ばれた州が「ライヒ」（Reich）と呼ばれた国を構成する、連邦制が採用される。

第一次大戦前の連邦制と比べ、ワイマール共和国で大きく変わったのは、プロイセンがそれまで保持していた優越的地位を奪われ、他の州と同一に扱われるようになったことである。しかし、プロイセンは、フランスとの西部国境地帯から、東端の飛び地である東プロイセンまで、面積・人口で国全体の半分以上を占め、他州を圧倒する存在であった。そのため、中央政府とプロイセン政府の間に深刻な対立が起こった場合、ドイツの政治は機能不全に陥ってしまう。実際、共和国後期に、この懸念が現実化した。

ドイツは、敗戦で多くの領土を失ったうえ、ベルサイユ条約によって、大戦に対する単独責任（Alleinschuld）を認めさせられたことから、年間国民所得を超える莫大な賠償を負うこととなった。

それでも、ワイマール共和国の政治状況は、当初の混乱を乗り越えた後、世界大恐慌に巻き込まれるまでは、比較的安定していた。国会（Reichstag）が一院制で、それも比例代表制のため、共和国の全期間を通じて、単独で議席の過半数を占める政党は、一度も現われなかった。それでも、1930年までは、ほぼ同じ顔ぶれの政党による連立政権が、頻繁に交代しながらも（首相の平均在任期間は一年未満）継続した。

共和国誕生当初から、ワイマール連合としてその中核を担ったのが、反レーニン主義の社会主義政党である社会民主党（SPD）、自由主義政党の民主党（DDP）、ドイツ人口の三分の一を占めるカトリックが集う保守中道政党の中央党（Zentrum）の三党である。カトリックが過半数を占めるバイエルン州には、他州と異なり、中央党とは別の、より保守的な姉妹政党バイエルン人民党（BVP）が存在した。本稿では、選挙結果も含め、特記しない限り、両党は「中央党」として一括で考える。また、民主党は、共和国末期に党名を変更（国家党、ＤＳｔＰ）したけれども、一貫して「民主党」と表記する。

ある意味、当然のことながら、戦後西ドイツ政治は、ヒトラー政権で一度断絶したワイマール連合の再現であった。再建された社民党はもちろん、初代首相でキリスト教民主同盟（ＣＤＵ）のコンラート・アデナウアーは中央党幹部（カトリック都市ケルンの市長）、初代大統領で自民党（ＦＤＰ）のテオドール・ホイスは民主党国会議員。バイエルン州に独自政党、キリスト教社会同盟（ＣＳＵ）が結成された点まで同じである。

社民党、民主党、中央党のワイマール連合三党に加え、当初は新憲法に反対していた保守政党、人民党（ＤＶＰ）も、連立政権の常連となる。人民党の協調路線を推進したのが、１９２０年代の政治的安定の支柱となったグスタフ・シュトレーゼマンである。

ただし、ワイマール連合に人民党を加えた「大連立」政権は常態とはならず、政局的理由から議会第一党の社民党が参加しない保守中道連立政権となることも多かった。後者の場合、社民党は野党でも与党でもない、いわゆる「ゆ党」（野《や》党と与《よ》党の間という意味）として機能した。なお、プロイセン州政府では、共和国時代ほぼ一貫して、社民党のオットー・ブラウンを首班とする、ワイマール連合による連立政権が維持された。

旧体制志向で社民党を敵視する、人民党より保守的な国家人民党（ＤＮＶＰ）も、１９２０年代半ばには現実路線を取り、社民党抜きの保守中道連立政権に参加する。しかし、

１９２８年にアルフレート・フーゲンベルクが党首となってからは反共和国色を強め、連立政権との対決を鮮明に打ち出す。

そして、ワイマール共和国には、選挙には参加しながら、憲法の基本にある自由民主体制自体を敵視するナチス（ＮＳＤＡＰ）と共産党（ＫＰＤ）が存在した。ナチスは保守反動というより、共産党と同じく革命政党であり、ファシズム研究の第一人者エルンスト・ノルテの表現を借りれば、両者は「敵対的近親関係」(feindliche Nähe) にあった。実際、ナチスと共産党は「協力」して、ワイマール・デモクラシーを死に至らしめたのだ。

両党は、ワイマール共和国にとって試練の時となった１９２３年に、ともに暴力による政権奪取を企てる。

賠償未払いが条約違反だとして、ドイツ工業の心臓部であるルール地方を「借金のカタ」にフランス・ベルギー軍が占領し、ハイパーインフレーションが猛威を振るうなか、ドイツ社会は物情騒然とする。権力掌握のチャンスとみたヒトラーは、11月にミュンヘンでクーデターを企てたけれども、すぐに鎮圧され投獄される。一方、共産党もソ連の全面支援の下、武装蜂起を計画し、ハンブルクで実行したものの、こちらも失敗した。

絶体絶命の危機にあったワイマール共和国は、首相兼外相シュトレーゼマンの下、ナチスと共産党による暴力革命を阻止するとともに、大胆な財政金融改革によって物価安定を実現、この後、ドイツ経済はV字回復を遂げる。大戦直前の１９１３年を１００として、１９２２年の94から１９２３年に81まで落ち込んだドイツの一人当たり国民総生産は、１９２４年には90まで戻り、その後も順調に推移、１９２７年には１０６となって、戦前の水準を突破する（アルブレヒト・リッチュル他『ヤールブッフ・フュア・ヴィルトシャフツゲシビテ』１９９７年第2号）。

こうして、１９２４年以降、ワイマール共和国は、政治経済両面で安定期に入った。

共和国安定期の象徴、シュトレーゼマン外相

世界大恐慌に至るまでのワイマール共和国安定期の政治的象徴が、保守小政党、人民党の党首シュトレーゼマンである。首相在任は１９２３年8月から11月までのわずか三カ月だったものの、首相退任後も１９２９年10月に亡くなるまで、一貫して外相を務めた。この間、シュトレーゼマンは、ルール占領終結とともに、戦時賠償支払いを具体化したドーズ案受け入れ（１９２４年）、宿敵フランスとの協調を確立したロカルノ条約締結（１９２５年）、常任理事国としての国際連盟加盟（１９２６年）において主導的役割を果たす。ロカルノ条約締結により、フランスの外相アリスティド・ブリアンとともに、１９２６年

にノーベル平和賞も受賞した。

だが、ドイツの単独責任論に基づくベルサイユ条約を所与として、社民党と協力しながら、戦勝国との協調外交を進めるシュトレーゼマンには、本来の支持基盤である保守層から、裏切り者という批判が絶えなかった。そんな逆風のなか、シュトレーゼマンは、1925年11月22日、人民党幹部を前にした非公開の演説で、「戦争責任の嘘《うそ》」(Kriegsschuldlüge)とたたかうためには、安易な批判を行なうことに自己満足するのではなく、重い責任を引き受けて、率先して国際協調を推進し、国力充実に努めねばならないとして、次のように語っている。

私は、かつてないほど激しく情熱がたぎるこの時代に、我々が党派的利益ではなく、ひとつの想い、すなわち国家の福祉(Staatswohl)のみに導かれて行動したことを、後の世代が感謝するだろうと確信している。

シュトレーゼマンは、自らを弱腰と批判する保守層の無理解を必ずしも嘆いていなかった。なぜなら、この国家の福祉を追求する現実政治家(Realpolitiker)が、戦勝国から最大限の譲歩を引き出すうえで、自分だけが抑えることができる自国保守層からの批判は、

表6－1:ワイマール共和国時代の主な政党

社会民主党
（SPD；反レーニン主義の社会主義政党）
フリードリヒ・エーベルト、オットー・ブラウン

民主党
（DDP；自由主義政党）
テオドール・ホイス

中央党
（Zentrum；カトリック保守中道政党）
ハインリヒ・ブリューニング、コンラート・アデナウアー

人民党（DVP；保守政党）
グスタフ・シュトレーゼマン

国家人民党（DNVP；復古的保守政党）
アルフレート・フーゲンベルク

ナチス（NSDAP）

共産党（KPD）
エルンスト・テールマン、ワルター・ウルブリヒト

※□囲み3党が「ワイマール連合」

有力な交渉材料ともいえるのだから。

しかし、外相かつ人民党党首として精力的に活動していたシュトレーゼマンは、1929年10月3日、脳卒中で急死する。まだ51歳であった。「大連立政権にとっても、穏健な中流階級のナショナリスト（nationalbürgerliche Mitte）の統合にとっても、議会制にとっても、ドイツの国家理念（Nationalidee）にとっても、また、統一欧州の理念にとっても、シュトレーゼマンの死は取り返しのつかない損失であった。彼の死は、ワイマール共和国復興期の終わりと最終的危機の始まりを意味した」（『ドイツ憲法の歴史』）。

はたして、安倍前首相は、平成日本のシュトレーゼマンとして、それも彼のように

無念の死で挫折することなく、戦後体制克服を成し遂げた大政治家として、後世に名を残すことができたといえるだろうか。

ヒンデンブルク大統領の登場

シュトレーゼマンの死からわずか三週間後の1929年10月24日、「暗黒の木曜日」と呼ばれた米国株式の大暴落が起こる。その後、米国だけでなく世界経済全体が大恐慌に陥り、米国からの借り入れに依存するドイツ経済は、大打撃を受ける。

シュトレーゼマンの死と前後して、国家人民党を率いるフーゲンベルクは、それまで政治的アウトサイダーとみなされてきたヒトラーと組んで、大がかりな反連立政権キャンペーンを行なう。標的となったのは、ドーズ案に代わって、やはり米国主導でまとめられた新しい賠償履行計画、ヤング案であった。

最終的には、国家人民党とナチスが要求し実現した1929年12月の国民投票で、ヤング案破棄提案は否決されたものの、戦勝国への賠償を不当と考える多くの国民の間で、ヒトラーの主張は、その巧みな宣伝と相まって、大きな共感を生む。こうして、ナチスは復古的な国家人民党に代わって、反共・反戦後体制の主役の座に躍り出た。

シュトレーゼマンという主柱を失った、社民党、民主党、中央党そして人民党による大連立政権（首相は社民党のヘルマン・ミュラー）は、ヤング案の国会承認を何とか取り付けたものの、労働組合寄りの社民党、とくに党内左派と市場重視の人民党間の経済財政政策をめぐる対立で立ち往生し、1930年3月27日に瓦解した。

大連立政権崩壊を受け、3月30日、中央党のハインリヒ・ブリューニングが首相に就任する。社民党が党内の左右対立から政権担当能力を失うなか、ブリューニング内閣は、保守中道勢力を基盤とするものの、従来の議会の信任を前提とした連立政権とは異なり、大統領の非常大権に依存した政治を断行する。「大統領内閣」（Präsidialkabinett）の誕生である。

こうして、ブリューニング政権以降、ワイマール共和国の命運は、第二代大統領ヒンデンブルクの双肩にかかることとなった。

初代大統領エーベルトが任期満了直前の1925年2月に病死した後、3月29日に行なわれた大統領選挙の一回目の投票で、各党派の推した候補は、誰も当選に必要な過半数に達せず、決定は4月26日の二回目の投票に持ち越された。

過半数を必要とせず、一位になれば当選となる第二回投票を前に、社民党、民主党、中央党のワイマール連合は、候補を中央党のヴィルヘルム・マルクス前首相に一本化する。

第一回投票で三党の候補は合わせて49%を得ていたので、マルクスの大統領就任は確実視されていた。

ところが、人民党を含む保守陣営は、劣勢を挽回するため、シュトレーゼマンの反対を押し切り、第一回の選挙でトップだった保守統一候補カール・ヤレス（人民党）を取り下げ、第一次大戦の英雄であり、君主制時代の栄光を象徴するヒンデンブルク元帥を担ぎ出す。

共産党が二回目の投票でも党首エルンスト・テールマンを立てたことに加え、バイエルン人民党がヒンデンブルクを支持したことから、ヒンデンブルクが僅差で当選を果たした。

ところが、ワイマール共和国にとって幸いなことに、当選時すでに77歳の老将軍は、反共和国感情が根強い伝統的保守層の期待に反し、私情を捨て、党派を超越した共和国の象徴として行動する。社民党の党派的利害を無視し、保守中道勢力と協力しながら、混乱期の共和国を支えたエーベルトと同じく、ヒンデンブルクは共和国にとって、最後の頼みの綱となったのである。

大統領がエーベルトからヒンデンブルクに代わったことを、ワイマール共和国の転換点とする議論をしばしば見かける。しかし、この交代は、デモクラシーでは必然の「地位のローテーション」(Amtswechsel) と捉えるべきである (フーバー『ドイツ憲法の歴史』)。

混乱期ゆえ、非常大権による「独裁」を余儀なくされたエーベルトと異なり、1925年という共和国安定期に大統領に就任したヒンデンブルクは、当初五年間、一度も憲法第48条に基づく緊急命令 (Notverordnung) を出さずに済んだ。

しかし、ドイツの一人当たり国民総生産 (1913年＝100) は、大恐慌のあおりを受け、1928年の108を頂点に、1930年以降、急速に低下し、ヒトラー政権直前の1932年には78にまで落ち込んだ。

失業者が街にあふれる (1932年の失業率は24%) なか、議会はもはや機能不全に陥る。そのため、80歳を超えるヒンデンブルクが、「君臨すれども統治せず」の就任当初五年の象徴的立場を超えて、政治の表舞台に登場せざるを得ない状況となった。

ブリューニングは、1930年4月1日、首相就任後最初の国会で、大統領の意向に従い、「いかなる政党連合にも縛《しば》られない」と表明する。ただし、議会を無視するわけではないとし、社民党、国家人民党との連携を模索する。

しかし、社民党は反政権色を前面に出し、4月3日、早くも不信任案を提出する。社民党、共産党そしてナチスが賛成するなか、国家人民党が反対に回ったことから、不信任案は否決された。

さらに、4月12日、今度は共産党が不信任案を提出する。前回と同じ三党に加え、政権協力派と反対派の対立が激化した国家人民党の一部が賛成に回ったものの、203票対221票という僅差で、再び否決された。前政権与党が二度にわたって、共産党とナチスという体制破壊政党と組み、かつての連立パートナーに対して倒閣を企てるという異常事態である。

この後、国家人民党内で、フーゲンベルク率いる政権反対派が党内主導権を握ったことから、国会は政権反対勢力が過半数となり、7月16日、予算関連法案は社民党、共産党、ナチス、国家人民党等の反対で否決される。

ブリューニング首相は、議会との折衝はもはや無意味と宣言、これを受けたヒンデンブルク大統領は、憲法第48条の非常大権に基づき、首相副署の下、法案と同内容の緊急命令を発した。

社民党と共産党が、直ちに（国会の過半数議決で無効にできる）緊急命令廃止を要求したため、大統領は、一旦、命令を取り下げた後、国会を解散、総選挙日を9月14日に設定した後、再度、同内容の緊急命令を7月26日に発令した。

国会解散によって、不信任案提出も緊急命令無効決議も不可能となるため、ブリューニング政権は二カ月のフリーハンドを得た。

しかし、結果的に1930年9月の総選挙は、ワイマール共和国崩壊を加速する一大転機となる。

第7章　合法戦術を貫いたヒトラー

我々の運動は暴力を必要としない

アドルフ・ヒトラー

1930年、ナチスと共産党の躍進

１９２３年11月のミュンヘン一揆失敗後、ヒトラーは投獄され、１９２０年代後半のドイツ政治安定期には、もはや過去の人物とみなされていた。国会に議席はあったものの、ナチスの得票率は数％に過ぎず、世界大恐慌直前、ワイマール共和国の主柱であったシュトレーゼマン外相が１９２９年10月に現職のまま亡くなった段階で、ヒトラーがそれから三年三カ月後に首相に就任するなど、本人も含めて、誰も想像すらできなかったに違いない。

１９２３年、暴力による政権奪取を企て、ともに失敗した二つの革命政党、共産党とナチスは、この後、その政権獲得戦術において大きな違いをみせることになる。

他国の共産党同様、ソ連共産党すなわちスターリンの完全支配下にあったドイツ共産党は、この失敗の後も、マルクス・レーニン主義に基づき、相変わらず暴力革命路線を堅持する。

一方、ヒトラーは、暴力革命路線を捨て、「独裁」の理念を、議会を通じて合法的に実現する戦術を採用する。つまりワイマール憲法に則《のっと》り、憲法が許容するあらゆる可能性を利用することによって、「デモクラシー政党、さらには法治国家（Rechtsstaat）そのものを武装解除した」（ヴィンクラー『ワイマール1918―1933』）。

ヒトラーは、戦前の君主制時代に対する保守層の郷愁を嘲笑《あざわら》う、復古とは無縁の革命家であり、共産主義者とは別のかたちで、社会を根本から変革することを目指していた。ヒトラーにとって、プロイセンを中心とするドイツの伝統的支配層、その牙城《がじょう》である官僚機構や軍部、そして彼らを支持基盤とする保守政治家は、嫌悪と侮蔑の対象でしかなかった。しかし、天性のマキャベリストであるヒトラーは、政権獲得にあたって、伝統的保守層のワイマール共和国への反感を巧みに利用する。

1930年9月25日、ヒトラーは、ナチス支持の国防軍将校に関する裁判に、証人として出廷し、「合法の誓い」（Legalitätseid）を立てる（ベルトルト『国家緊急事態計画』）。

この国において、国家社会主義運動は、合憲的手段によって、その目的を達成することを追求している。憲法が規定するのは手段だけであって、目的ではない。我々は、この合憲的な道を通じて、立法機関で圧倒的多数を得ることを目指し、成功した暁には、我々の理念に相応《ふさわ》しいかたちに国家をつくりかえる。

当時のドイツ政治を理解するうえで注意を要するのが、ナチスのベルサイユ（条約）体制打破という主張は、決してヒトラー独自のものではなく、ほとんどのドイツ国民が共有していたことである。

ベルサイユ条約が、「条約」とは名ばかりの、戦勝国から不当に押し付けられた「命令」(Diktat) だというのが、ワイマール共和国体制派も含めたコンセンサスであり、再軍備や国境再画定（とくに対ポーランド）は、ドイツ人の悲願であった。

また、ナチスの反「ユダヤ共産主義」(jüdischer Bolschewismus) は、少なくとも政権獲得までは、反ユダヤではなく、反共産主義に重点が置かれていた。国際共産主義の脅威は、決してヒトラーの妄想ではなく、スターリンに盲従するドイツ共産党は、警察官殺害などテロ活動を繰り返し、暴力革命を唱えていたのである。

表7−1: ワイマール共和国総選挙・政党別得票率(1928〜1933年)

	1928年 5月	1930年 9月	1932年 7月	1932年 11月	1933年 3月
ナチス	3%	18%	37%	33%	44%
国家人民党	14%	7%	6%	8%	8%
人民党	9%	5%	1%	2%	1%
中央党	15%	15%	16%	15%	14%
民主党	5%	4%	1%	1%	1%
社民党	30%	25%	22%	20%	18%
共産党	11%	13%	14%	17%	12%
その他	14%	14%	3%	3%	2%

出典:コントラート・アデナウアー財団資料に基づき筆者算出。小数点以下四捨五入

なぜ共和国体制派がヒトラーを警戒したのか。その最大の理由は、体制派が内外の諸課題を話し合いで解決しようとしたのに対し、ヒトラーは話し合いの不毛さを強調し、議会制に代えて、独自の理念に基づく独裁制を確立して、力で解決しようとしたことにある。両者の相違は、目的というより手段にあった。

前章で述べたとおり、1930年3月に任命された、カトリック保守中道政党である中央党のブリューニング首相は、かつての連立パートナーである社民党が、共産党とナチスという体制破壊政党と組んで政権攻撃を行なったため、すぐに政権運営に行き詰まり、7月に国会を解散する。

9月14日に行なわれた総選挙の結果は、

ワイマール共和国の根底を揺るがす、衝撃的なものとなる。

表7－1で示したように、1928年5月に行なわれた総選挙で得票率わずか3％だったナチスは、1930年9月の総選挙で18％を獲得し、社民党に次ぐ第二党に躍り出た。共産党も得票率を11％から13％に伸ばしたため、議会制デモクラシーを根底から否定する二つの政党の合計得票率は、31％に達した。一方、カトリックを基盤とする中央党以外、既成政党は軒並み得票率を減らした。

ワイマール共和国では厳格な比例代表制が採用されていたので、各党の得票率は、ほぼ完全に議席数に反映される。したがって、非常大権に依存しない議院内閣制への復帰は絶望的となった。

ヒトラーの大統領選立候補

ナチスと共産党の躍進は、意外にも、ブリューニング政権を安定させることになる。「ナチスとコチス」（Nazis und Kozis）――当時、「ナチス」は国家社会主義者の、「コチス」は共産主義者の蔑称として用いられた――の躍進に危機感を抱いた社民党が、それまでの反政権姿勢から、大統領内閣「容認政策」（Tolerierungspolitik）に転換したのだ。

社民党は、ブリューニング内閣に参加しないものの、内閣不信任案や大統領緊急命令廃止決議に反対することで、大統領非常大権に依存する政権を「容認」する。社民党は政権に参加しないことで、自らの責任を回避しつつ、ブリューニング政権が反社民党の保守勢力の支持を得ることを容易にした。

社民党から事実上の支持を得たブリューニングは、さらに復古的保守政党、国家人民党を取り込むことで、授権法を成立させ、大統領非常大権に依存しない安定した政権運営を行なうことを目指す。

授権法といえば、ヒトラー政権下で成立した１９３３年3月の授権法が悪名高い。けれども、それには前例があった。ワイマール共和国では、国家緊急事態に対処するため、憲法に明記された大統領非常大権とともに、憲法改正と同じく国会の三分の二以上の賛成により、時限的に内閣にフリーハンドを与える授権法が、慣例として認められていた。１９２３年のルール占領とハイパーインフレーションによる共和国崩壊の危機の際も、授権法が活用された。

結局、ブリューニングは、国会多数派工作に失敗し、授権法を成立させることができず、最後まで、大統領の非常大権に依存した政権運営を余儀なくされる。

こうしたなか、ヒンデンブルク大統領の任期（七年）満了が１９３２年春に迫っていた。ブリューニングは特例措置として、授権法同様、国会の三分の二の賛成により、大統領選を延期し、大恐慌のなか、選挙がもたらす混乱を回避しようとする。

ブリューニングは、ナチスはこの提案に応じると見ていた。なぜなら、旧オーストリア・ハンガリー帝国出身のヒトラーにはドイツ国籍がなく、大統領選に立候補できないため、彼以外の有力候補を欠いたナチスにとって、大統領選延期は悪い話ではないと思われたのである。

ところが、ヒトラーは、大統領直接選挙は国法の基本であり、憲法に規定のない大統領選の国会議決による延期は、「憲法の意味と精神」に悖《もと》るものとして反対する。

実は、ヒトラーは自身の大統領選挙への出馬を目論《もくろ》み、密かにドイツ国籍取得に動いていた。1932年2月25日、ナチスが政権に参加していたブラウンシュヴァイク州政府が、ヒトラーを州の高官に任命する。外国人が政府高官に任命されると、自動的に国籍が付与されるため、無国籍者ヒトラーは一夜にして、合法的にドイツ人となった。

こうしてヒトラーは、大統領選挙への立候補を表明する。

大統領選を延期することができなかったブリューニングは、84歳のヒンデンブルク再選に全力を尽くす。ヒトラーの大統領就任を阻止するため、社民党も、「反動」ヒンデンブルク支持を明確に打ち出す。1925年の最初の大統領選で、反ワイマール連合の統一候補として当選したヒンデンブルクを、今度はワイマール連合（社民党、中央党、民主党）が全面支援するという、皮肉な事態となった。

１９３２年３月13日に行なわれた第一回投票で、ヒンデンブルクは過半数にわずかに届かなかったものの、49・5％を獲得し、30％のヒトラーに大きく差をつけた。共産党のテールマンは13％、国家人民党が推したテオドール・デュスターベルクは７％だった。

４月10日の第二回投票で、デュスターベルクが出馬しなかったこともあり、ヒトラーは大幅に票を伸ばし37％を獲得したものの、ヒンデンブルクも、53％に票を伸ばして当選した。なお、共産党のテールマンは10％にとどまった。

暴力事件の最大の被害者はナチスだった

ヒンデンブルク再選を受け、ブリューニングはナチスとの対決姿勢を強める。ナチスの躍進が確実な１９３２年４月24日のプロイセン州議会選挙を前に、ブリューニングとヴィルヘルム・グレーナー国防相兼内相は、渋るヒンデンブルク大統領を説得し、４月13日、ナチスの武装集団、突撃隊（ＳＡ）と親衛隊（ＳＳ）の活動を禁止する大統領緊急命令（ＳＡ禁止令）の発令にこぎつける。

しかし、暴力革命を是《ぜ》とし、1929年メーデーの組織的暴動によってすでに禁止されていた共産党武装団（ただし、名称を変え、活動を続けていた）と違い、ナチスは合法戦術を採用していただけに、なぜ突撃隊は禁止され、社民党武装集団は許されるのか、「立憲的」に正当化することは難しかった。それゆえヒンデンブルクは難色を示したのである。

ナチスといえば、無知な大衆に支持された無法者集団というイメージが、大戦後、主に米国の映画やテレビなどを通じて、世界中に植え付けられた観がある。そのため、粗暴なナチス突撃隊に対して、共産党や社民党がやむを得ず自衛のため武装したかのように思われているけれども、事実は異なる。

1931年の警察統計によると、政治的動機に基づく首都ベルリンにおける暴力事件の被害者（死者・負傷者）総数8248人のうち、党派所属別でみると、ナチスが最も多く4699人、社民党は1696人、共産党は1228人。一方、特定された加害者で最も多かったのが共産党で4184人（対ナチスが3515人）、ナチスは2589人（対社民党1429人、対共産党1133人）、社民党が1849人（対ナチス1556人）であった（クリスチャン・シュトリーフラー『権力闘争』）。

要するに、ナチスの左翼攻撃よりも、左翼がナチスを攻撃する事例の方が多かったのである。ベルリン警察は、１９３２年7月まで社民党のブラウンが率いるプロイセン州政府の管轄下にあり、左翼の犯罪に厳しく対処し、ナチスの犯罪を見逃していたとは考えにくい。なお、当時を知る１９２３年生まれのファシズム研究者ノルテは、ナチス成功の大きな要因として、突撃隊員たちが決して無法者ではなく、普通の人々であったことを強調している（ジークフリート・ゲルリッヒ『エルンスト・ノルテとの対話』）。

ヒトラーはＳＡ禁止令を激しく批判したものの、あくまで合法戦術を堅持する。40万人の突撃隊員は、ヒトラーの「合法指令」（Legalitätsbefehl）に従い、物理的抵抗をせず、ナチス弱体化を狙ったＳＡ禁止令は、逆にヒトラーの指導力と、組織の規律の高さを際立たせることとなった。

ＳＡ禁止令にもかかわらず、ナチスは、１９３２年4月24日のプロイセン州議会選挙（国会と同じく比例代表制）で36％を獲得し、議会第一党となる。その結果、共産党と合わせて、体制破壊政党が、州議会で「否定的過半数」（negative Mehrheit）を占める状態となった。

過半数を失ったワイマール連合のブラウン州首相は辞任したものの、ナチスか共産党のいずれかを含まなければ過半数とならないので、政権協議は進まず、ブラウン暫定政権が継続することとなる。

一方、国政の場における、ヒンデンブルク大統領、ブリューニング首相、そして社民党の間の奇妙な協力関係は、大統領再選をピークにギクシャクし始める。もともと、反ヒトラー以外にほとんど共通項がなく、ヒンデンブルクとグレーナー国防相の対立が先鋭化したこともあって、ブリューニングは5月30日に辞任を余儀なくされた。

ただし、ブリューニング政権崩壊の根本的要因は、就任以来二年間、大きな成果を上げられなかったことにある。

世界恐慌下のデフレ政策はドイツ経済をさらに悪化させ、戦時賠償は事実上支払い停止となったものの、ドイツ再軍備は、大戦後に得た欧州大陸覇者の地位を永続化しようとするフランスの強硬姿勢で、先に進まない。さらに、オーストリアとの関税同盟も、独墺合併を禁じたベルサイユ条約違反と主張するフランスの反対で、挫折した。結局、これらの内外政の課題は、すべてヒトラーが解決することになる。

誰がナチスを支持したのか

1932年6月1日、ブリューニングに代わって首相に就任したのは、無名の中央党プロイセン州議会議員、フランツ・フォン・パーペンであった。中央党は、自党出身のブリユーニングを追い落とすかたちで政権の座についたパーペンを除名しようとしたものの、パーペンは機先を制して離党した。

この全くといってよいほど政界に支持基盤を持たない復古的保守政治家の背後には、国防相に就任した軍の実力者、シュライヒャー将軍という黒幕が存在した。閣僚は官僚など専門家が主体（うち四人は国家人民党所属）で、伝統的支配層出身者が多く、パーペン政権は「男爵内閣」（Kabinett der Barone）と揶揄《やゆ》される。

ヒンデンブルクとシュライヒャーは、ナチスとの対決路線から転換し、逆に政権に参加させることで、ナチスを「飼い慣らす」（zähmen）ことができると考えた。政権交代にあたり、５月30日にヒンデンブルクに招かれたヒトラーは、ＳＡ禁止令廃止と国会解散を条件に、解散後に新勢力に基づく国会が開かれるまでの政治的休戦を約束した。

その結果、総選挙日を７月31日として６月４日に国会が解散され、６月14日にＳＡ禁止令が廃止される。

選挙期間中、パーペン政権は、ワイマール共和国の長年の課題であった、プロイセン問題を一気に片づける挙に出る。連邦制の共和国で人口・面積の半分以上を占めるプロイセン州と国との「二重体制」（Dualismus）解消の必要性は、常に議論されてきたけれども、いかなる改革もこれまで実現できずにいた。

総選挙を間近に控えた7月20日、大統領緊急命令に基づき、プロイセン州暫定政権のブラウン首相ら閣僚が解任され、プロイセンは国の直接管理下に入る。州政府は物理的抵抗をすることなく、ただちに国事裁判所に違憲訴訟を提起した。この訴訟は、後述するように、ヒンデンブルク大統領のその後の決断に、大きな影響を与えることになる。

このいわゆるプロイセン・クーデターには、社民党の弱体化とともに、パーペン政権を敵視する中央党がナチスと組んで、州政権を握ることを防ぐ意味もあった。中央党にも、政権参加でナチスが穏健化するという幻想が広がっていたのだ。

7月の総選挙は、予想どおり、ナチスの大勝利に終わった。ナチスは37%を獲得し、14%の共産党と合わせて、プロイセン州に続き、国政の場でも、議会制を否定する二大革命政党が、過半数を得たのである（表7－1参照）。

では、誰がナチスを支持したのだろうか。

ハリウッドが広めた「ナチス＝無法者」イメージ同様、研究者の間でも、ドイツから亡命した学者が中心となって広めたナチス支持者「下層中流階級説」(lower-middle-class thesis) が、戦後長い間、通説であった。

しかし、今日では、ナチスが特定の階級やグループに偏ることなく、国民全体からひろく支持を集めた国民政党であったことが、データ分析によって明らかになっている（ユルゲン・ファルター『ヒトラーを選んだ人々』)。なかでも、ナチス支持者が目立ったのが、当時はエリートだった(プロテスタントの)大学生であった。

ただし、ドイツ国内には、ナチスへの支持率が著しく低いグループがひとつ存在した。ドイツ人口の三分の一を占めるカトリックである。そのため、カトリック政党である中央党は、ナチス躍進の影響を受けることなく、表7－1に示したように、最後まで共和国安定期の得票率を維持し続けた。プロテスタントに比べ、伝統を重視し保守的とされたドイツのカトリックは、革命家ヒトラーを拒否したのである。なお、ヒトラーは死ぬまで破門されることなく、表向きカトリック教徒であり続けた。

ナチスと共産党の共闘

総選挙大勝を受け、ヒトラーは「全てか無か」(alles oder nichts) という姿勢を鮮明に打ち出す。9月の国会開会を前に、8月13日の会談で、ヒンデンブルクにパーペン政権への入閣を要請されたヒトラーは、首相の座を要求、大統領は即座に拒否した。ヒトラーを飼い慣らし、ナチスをコントロールするという、ヒンデンブルクとシュライヒャーの試みは頓挫《とんざ》する。

パーペン内閣が、社民党や中央党に続いて、ナチスを敵にまわした以上、国会で内閣不信任案が可決されることは必至となった。憲法第25条で認められた大統領の解散権を行使しても、再選挙後の勢力図が変わることは考えられない。

実は、ヒトラーとの交渉と並行して、パーペン内閣ではひとつの案が検討されていた。それは「国家緊急事態」を理由に、大統領非常大権に基づき、国会を長期延期したうえで、憲法の通常の手続きを無視して国家改造を断行するというものであり、8月30日にヒンデンブルク大統領に提示される。ヒトラーと決別した以上、共産党のみならずナチスとの武力対決も覚悟したうえで、ヒンデンブルクは承認を与えた。

この計画に法的側面から深くかかわったのが、20世紀ドイツを代表する法学者カール・シュミットである。当時、ドイツ憲法学界では、憲法改正に限界はないというのが圧倒的通説であった。ゲルハルト・アンシュッツによる代表的教科書（『ドイツ国の憲法』）には、共和国、デモクラシー、議会制といった「国体や政体」（Staats- und Regierungsform）も、国会における三分の二以上の賛成による通常の憲法改正手続きで変更可能とある。

この憲法改正無限界説に対し、シュミットは、憲法には根幹部分と枝葉部分があり、ワイマール共和国の根幹である自由民主体制は改正の対象ではなく、もし体制そのものが危機に瀕した場合は、枝葉部分の明文に一見反してでも、体制すなわち憲法（Verfassung）を守ることが、「憲法の番人」である大統領の役目だとした（シュミット『憲法理論』、『憲法の番人』）。

パーペン首相は計画どおり、国会冒頭で解散を行なうべく、9月12日、議会に足を運ぶ。ところが、第一党であるナチスから選ばれたゲーリング議長が、定められた手続きを無視し、共産党が提案した内閣不信任案の採決を強行した結果、投票した議員559名中、512名が賛成した。手続き違反のため、法的には無効であったけれども、パーペン政権が全く民意を反映していないことが、満天下に歴然と示された。

この面目失墜の事態を受け、9月14日に開かれた閣議で、パーペンとシュライヒャーは、国家緊急事態計画の最終的承認を得ることができず、結局、憲法の規定どおり、11月6日に総選挙が行なわれることとなった。

9月の国会冒頭で示されたナチスと共産党の連携は、解散後の選挙期間中、さらに「深化」する。11月初旬、社民党主導のベルリン交通局組合の機関決定を無視し、ヨーゼフ・ゲッベルスとワルター・ウルブリヒト（戦後、東ドイツ社会主義統一党第一書記）の指導下、ナチスと共産党所属の組合員は、いわゆる「山猫スト」を断行、首都の交通機能を麻痺させた。同じ反共和国とはいえ、水と油と思われてきたナチスとコチス（共産党）の本格的共闘を目《ま》の当たりにした共和国体制派は、大きな衝撃を受ける（クラウス・ライナー・レール『ワイマール共和国最後の日々』）。

共産党とナチスの協力には、スターリンのお墨付きがあった。当時、共産党は、コミンテルンの基本方針に基づき、資本主義の最後のあがきであるナチスではなく、改良主義によって歴史の進行を遅らせる「社会ファシスト」、すなわち社会民主党を主敵とみなしていた。

ヒトラー台頭を前に、共産党と共同戦線を構築しなかった社会民主主義者や自由主義者を批判する声がいまだ一部にある。しかし、現実には、共和国体制派が共産党を忌避したのではなく、共産党が彼らとの協力を拒否し、ナチスとともに共和国を破壊したのである。

ソ連が支援する共産主義革命に対する防波堤の役割をナチスに期待していたにもかかわらず、ベルリン交通ストという共産党とナチスの共闘を目の当たりにした保守層の間で、ヒトラーへの失望が広がる。

ストが続く中、11月6日に行なわれた総選挙において、ナチスの得票率は、7月の前回と比べ、4%減の33%に後退した。一方、共産党は前回より3%増の17%で、20%の社民党に肉薄する。ナチス支持の減少を共産党支持の増加が埋め合わせ、両者を合わせて過半

表7−2:ナチスが政権を獲得するまで

1930年　9月14日	総選挙でナチスが得票率18%、社民党に次ぐ第二党に
1932年　4月10日	大統領選挙でヒンデンブルクがヒトラーに勝利
4月13日	ナチス突撃隊(SA)を禁止する大統領緊急命令発令
5月30日	ブリューニング首相辞任
6月1日	パーペン首相就任
6月4日	国会解散
6月14日	SA禁止令廃止
7月20日	大統領緊急命令発令(プロイセン・クーデター)
7月31日	総選挙、ナチスが得票率37%で第一党
9月12日	国会で内閣不信任案
11月初旬	ナチスと共産党の共闘による「山猫スト」
11月6日	総選挙、ナチスの得票率33%に下落
12月3日	シュライヒャー国防相が首相就任
1933年　1月28日	シュライヒャー首相の大統領緊急命令発動要請を大統領が最終的に拒否、首相辞意表明
1月30日	大統領がヒトラーを首相に任命
1月31日	ヒトラー、国会を解散
2月27日	国会議事堂が共産主義者の放火で全焼
2月28日	「国民と国家を守るための大統領緊急命令」発令
3月5日	総選挙、ナチスの得票率44%
3月23日	国会で「授権法」可決(ヒトラーへの時限付き全権付与)
1934年　6月30日	「長いナイフの夜」事件、SA隊長レーム、前首相シュライヒャー、元ナチス最高幹部シュトラッサーらが殺害される
8月2日	ヒンデンブルク大統領死去、86歳

数を占める状態は変わることがなかった（表7－1参照）。

選挙結果を見ると、共産党との共闘は、ナチスにとって大失敗だったように見える。しかし、実際には、首都ベルリンで示されたナチスと共産党の共同戦線は、ヒトラーによる政権獲得を後押しすることとなったのである。

第8章　「憲法絶対主義」が作ったヒトラー政権

我々は今やドイツの合憲的支配者だ
ヨーゼフ・ゲッベルス

ワイマール共和国最後のチャンス

ナチスと共産党所属のベルリン交通局組合員が共闘して、山猫ストを断行し、首都の交通機能が麻痺するなかで行なわれた1932年11月の総選挙で、ナチスは前回総選挙から得票数を一割以上減らした。それまで日の出の勢いだっただけに、限界説が囁《ささや》かれ始めた。

ところが、ヒトラーは選挙後に行なわれたヒンデンブルク大統領との会談で、前回同様、首相の座とともに、大統領非常大権に依存しない、授権法に基づく政権確立に向けた大統領の協力を要求する。大統領は同意せず、会談は物別れに終わった。

ナチス内では、共産党との共闘への疑念とともに、首相でなければ政権参加しないというヒトラーの「全てか無か」方針への懐疑が広まる。その中心にいたのが、当時、党内ナンバー・ツーで、ヒトラーとの関係がギクシャクしていたグレゴール・シュトラッサーであった。シュトラッサーは、過激な反ユダヤ主義とは距離を置き、従来から労働者重視の社会主義的政策の必要性を主張していた。

パーペン政権の黒幕、シュライヒャー国防相は、こうした情勢を受け、ナチスとの正面からの対決ではなく、ナチス分断に舵《かじ》を切る。12月2日の閣議で、シュライヒャーは、側近のオイゲン・オット中佐（のち駐日大使）に用意させた資料を示し、軍の全面支援を前提とする国家緊急事態計画（第7章参照）に難色を示す。

軍は、ポーランドとの間で生じ得る不測の事態に備えねばならず、それと同時に、共産党・ナチスの武装勢力の制圧にあたることは困難というのである。当時、ポーランドは、フランスを中心とする対独包囲網の一角を担い、その兵員数は、ベルサイユ条約で制限されたドイツを大幅に上回っていた。

緊急事態計画によって、ナチスと共産党をともに排除したうえで、復古的な国家改造を狙っていたパーペン首相は、シュライヒャーに梯子《はしご》を外されたかたちとなり、ヒンデンブルクに辞表を提出する。

後任に任命されたのは、ほかならぬシュライヒャーだった。

こうして、ヒトラーが敵として最も恐れたシュライヒャーが、ついに表舞台に登場することとなった。今日では、謀略家として否定的に描かれることが多い、この軍の実力者の登場は、実際には、「ワイマール最後のチャンス」であった（プレーヴェ『宰相クルト・フォン・シュライヒャー』）。

1932年12月3日に首相に就任したシュライヒャーは、「社会派将軍」（sozialer General）として、社民党系の労働組合とも比較的良好な関係を保っていた。シュライヒャーの狙いは、共産党を除き、党派を超えて各陣営の有志を統合する「横断戦線」（Querfront）を構築することによって、共和国の危機を乗り切ることにあった。パーペンと異なり、シュライヒャーは危機を利用した国家改造には否定的であり、共和国政治の抜本的改革は、将来の課題と考えていた。

しかし、横断戦線成功のカギを握るナチスの実力者シュトラッサーは、その性格的弱さから、ヒトラーとの決別に踏み切れず、腰砕けとなってしまう。さらに労働組合幹部がシュライヒャーとの協力に前向きであったにもかかわらず、社民党内では軍人政権との協力は不可という建前論が最終的に優勢となり、横断戦線構想は頓挫した。

シュライヒャーはやむなく、国会を解散するとともに、憲法第25条の規定に反して総選挙を長期延期するという国家緊急事態計画に立ち戻る。ところが、1933年1月23日、シュライヒャーが、月末に再開される国会冒頭での解散と、秋まで総選挙を延期する大統領緊急命令をヒンデンブルクに要請したところ、シュライヒャーにとって予想外の事態が起きる。前年8月には同様の計画に承認を与えた大統領が、今回は、憲法の明文に反するとして、緊急命令を出すことに難色を示したのだ。

大統領はなぜ、非常大権を発動しなかったのか

なぜ、ヒンデンブルクは最後の段階で緊急命令の発令を躊躇《ためら》ったのか。

実は、緊急命令に基づいてプロイセン州首相らを解任した、1932年の7月のプロイセン・クーデターをめぐる違憲訴訟で一部敗訴したことに、ヒンデンブルクは大きな衝撃を受けていた。通常の裁判とは別に憲法訴訟を扱う国事裁判所は、10月25日、中央政府がプロイセン州を直接統治する現状を追認したものの、州政府閣僚罷免は不当とした。形式的救済措置がとられただけで、判決は現状を何ら変更するものではなかったけれども、大統領の非常大権行使が違憲と判断され得ることが、明確に示されたのである。

ヒンデンブルクに対しては、皇帝ヴィルヘルム二世に忠誠を誓った軍の最高司令官であ

りながら、社民党主導のワイマール共和国建国を黙認した裏切り者という根強い批判があった。今度はワイマール共和国で、憲法遵守を誓って大統領に就任した老将軍は、「宣誓のトラウマ」（Eidestrauma）に囚《とら》われ、ふたたび裏切り者の汚名を着せられることを恐れていた。

それでも、シュライヒャーはヒトラー政権を阻止するため、必死に大統領に食い下がる。その結果、ヒンデンブルクは、最終決定を保留し、シュライヒャーに議会デモクラシー勢力の意向を確かめることを求めた。中央党と社民党から、総選挙長期延期への了承が得られるのであれば、ナチスと共産党が大統領の「独裁」を非難しても、なんとか事態を乗り切れると踏んだのだ。

しかし、ワイマール共和国の支柱を自負する中央党と社民党は、シュライヒャーの要請をはねつける。１９３３年１月26日にシュライヒャーに送った書簡で、中央党のルートヴィヒ・カース党首は、総選挙長期延期は明確な憲法違反であり、現状は国家緊急事態ではなく、大統領内閣が危機に陥っているに過ぎず、速やかに議院内閣制に復帰する必要があるとした。

カースは、シュライヒャーのブレーンだったシュミットを、誤った憲法解釈で違憲の総選挙延期を正当化する法学者として、名指しで批判する。社民党も、前プロイセン州首相ブラウンが党を代表して、同様の書簡をシュライヒャーに送る。

総選挙長期延期を強行すれば、ナチスや共産党だけでなく、共和国体制派も敵に回すことが明らかとなり、ヒンデンブルクはシュライヒャーの要請を最終的に拒否、1月28日にシュライヒャーは辞意を表明した。事実上の解任である。シュミットは1月27日の日記に、「ヒンデンブルク神話は終わった」と記した。

結局、取り上げられることはなかったものの、シュミットは、ヒトラー政権を阻止するために、新たな方法を提言していた（ベルトルト『国家緊急事態計画』）。否定的過半数に基づく内閣不信任決議は、憲法第54条に規定する不信任決議に該当しないとして無視するとともに、国会も解散しないという提案である。

要するに、新たな政権樹立のあてもないのに、主張が根本的に異なる政党が野合し、不信任決議によって倒閣のための倒閣を行なうことは、憲法の根本精神に反するので、効力を持たないということである。憲法の明文に反する総選挙長期延期と違って、条理に合致した条文の解釈による不信任案無視であれば、ヒンデンブルクは受け入れたかもしれない。このシュミットの提案は、戦後西ドイツ基本法（憲法）で採用された。

「憲法フェティシズム」に屈した「憲法の番人」

こうして、憲法の番人であるヒンデンブルク大統領がデモクラシー勢力の「憲法フェティシズム」に屈服した結果、「憲政の常道」に従い、第一党の党首であるヒトラーが、1月30日に首相に任命された。

ベルトルトとヴィンクラーは、それぞれ中央党と社民党を、次のように批判している。

民主的法治国家は、ワイマール共和国最後の危機において、憲法の字句に反することによってのみ救うことができた。しかし、デモクラシー政党は、シュライヒャーに窮屈な合法性を強いることで、ヒトラーに権力への道をひらいた。
（ベルトルト『国家緊急事態計画』）

二大デモクラシー政党は1933年1月の終わりに、共和国はヒトラーよりもシュライヒャーによって脅かされているかのように行動した。両党にとっては、ワイマール憲法の全面的除去ではなく、ひとつの条文に反することが最も深刻な危険に思えたのだ。（略）合法的なヒトラー政権成立の方が、シュライヒャーの時限的独裁よりも、小さな悪というわけである。（ヴィンクラー『ワイマール１９１８—１９３３』）

社民党と中央党の硬直した立憲主義は、当時のドイツ憲法学界の通説に立脚したものであった。憲法改正に限界がないという通説に従えば、憲法の条文間に優劣はないし、絶対守らねばならない根幹部分もあり得ない。したがって、根幹部分を守るために、「犠牲」にしてもよい条文は存在しない。

ワイマール憲法を体現した政党といわれ、憲法制定時には第三党だったものの、最後は泡沫政党と化した民主党（党名変更で当時は国家党）の冊子に、自由主義的憲法理論を代表するハンス・ケルゼンは、こう書いている（「民主主義の擁護」）。

デモクラシーの側に立つ者は、デモクラシーを救うために（略）独裁に手を出してはならない。たとえ船が沈もうとも、自らの旗印に忠実であり続けねばならないのだ。

ヒトラー暴走を抑えるための画策

ヒンデンブルク大統領とシュライヒャー首相の対立の背後で、ヒトラー政権の実現に向けて策動していたのが、シュライヒャーに首相の座を追われた後、ヒトラーに接近していた前首相パーペンである。ヒンデンブルクは、シュライヒャーよりも、自分に取り入るパーペンのことを気に入っていた。ヒトラーを「ボヘミアの上等兵」（böhmischer Gefreiter）と呼んで軽侮し、決して首相にしないと周辺に語っていた老元帥は、パーペンの説得に動かされ、最後はヒトラー政権容認に傾き、ヒトラー、パーペン、そして国家人民党を率いるフーゲンベルクの「三頭」政権合意が成立する。

ヒンデンブルクが、1933年1月の段階で、ヒトラーの政権掌握をあくまでも阻止しようとするシュライヒャーを切り捨て、ヒトラー首相就任にゴーサインを出したのには、前年11月のベルリン交通ストにおけるナチスとコチス（共産党）の共闘が大きく影響した。

ヒトラーを政権に参加させず、野に放ったままにしておけば、ナチス、なかでも社会主義的傾向が強い突撃隊が共産党と連携し、収拾がつかない事態に陥ってしまうことを、ヒンデンブルクは恐れたのである（レール『ワイマール共和国最後の日々』）。

総選挙では、得票を減らす結果になったにもかかわらず、共産党との共闘という大博打《ばくち》は、最終的にヒトラーの政権獲得を後押しすることとなった。

ヒンデンブルクの了承を取り付けたパーペンとフーゲンベルクは、ヒトラーを制御できると過信していた。しかし、言うまでもなく、ヒトラーの方が一枚上手《うわて》であった。

フーゲンベルクは政権参加の条件として、国会は解散せず、ナチスに警察権力は渡さないことを求めていた。ところが、ヒトラーは就任にあたって、条件付きながら大統領から解散・総選挙実施の承認をとりつける。さらに、1月30日に発足したヒトラー内閣では、ナチスのヴィルヘルム・フリックが内相に就任するとともに、無任所相に就任したゲーリングが、中央政府直轄となっていたプロイセン州政府の内務担当弁務官（内相に相当）を兼務した。

内相は戦前の日本同様、警察権力を握るポストであり、ナチスの閣僚は、ヒトラー、フリック、ゲーリングの「わずか」三人ながら、権力の中枢を独占することに成功した。

ヒトラーは就任翌日の1月31日、中央党との交渉に失敗したと声明、事前の合意どおり、国会は解散され、投票日は3月5日に設定された。

中央党との連立で過半数の安定政権作りに努めるというのは、ヒトラー首相就任の条件ともいうべき、ヒンデンブルクの要望であったけれども、ヒトラーに「約束」を守るつもりなど毛頭なかったことは、言うまでもない。

ヒトラー独裁に利した国会議事堂放火事件

国会解散後、警察権力を握ったナチスが有利に選挙戦を進めるなか、大事件が勃発する。投票日まで一週間を切った2月27日夜、国会議事堂が、オランダ人共産主義者、マリヌス・ファン・デア・ルッベの放火で全焼したのだ。

ヒトラー以下、ナチス幹部は、いずれ共産党が武装抵抗を試みるであろうことは、ある程度予想していたとはいえ、大きな衝撃を受ける。事件翌日の28日に出された「国民と国家を守るための大統領緊急命令」によって、基本的人権は大幅に制約されることとなり、ヒトラー政権は、放火を共産党の組織的犯行と断定し、党幹部を拘束する。

ソ連の全面的支援を受けたドイツ共産党が暴力革命路線を堅持するなか、共産主義革命への恐れは、ドイツ国民のナチス支持の大きな要因であり、この事件は、まさにその懸念が現実化したかに見えた。実際には、議事堂放火に、組織として共産党は無関係であったことが後に明らかになったものの、事件当時は、ヒトラーも、国民の多くも、共産党の仕《し》業《わざ》と信じていた。

国会議事堂放火事件は、ナチスの全権掌握に向け、結果的に大きな追い風となる。あまりにもタイミングよく起こったことから、事件直後から、コミンテルンによる大がかりなプロパガンダもあって、ナチスの自作自演という説が世界的に広まり、戦後しばらくは、歴史学界でもナチス犯行説が通説となっていた。

ところが、その後の研究によって、ナチスも共産党も無関係で、ルッベの単独犯行であったことが、今日では確実視されている。皮肉なことに、戦後、ルッベ単独犯行説を最初に支持したのは、A・J・P・テイラーとハンス・モムゼンという、英独の著名な左翼歴史家であった（モムゼン『ツァイトシュリフト・フュア・ゲシヒツヴィッセンシャフト』第49巻第8号）。

ナチスは3月の総選挙で大きく票を伸ばしたものの、得票率は44％で、単独過半数を得るまではいたらなかった。ただし、国家人民党の8％と合わせ、ヒトラー「連立」政権は過半数を獲得した。

しかし、ヒトラーが合法戦術によって得ようとしたのは、議院内閣制を前提とした安定政権などではなく、議会制の除去と独裁制の確立である。もちろん、憲法に従って。

ワイマール共和国では、前述のとおり、憲法改正に限界はないとされ、加えて、憲法改正と同じく三分の二の賛成により、期間を限って、国会が内閣に全権あるいは一定事項を委任する「授権法」が慣習として認められ、実際に何度か用いられてきた。国会で三分の二の賛成が得られれば、憲法改正に等しい授権法によって、ヒトラーが目的とする独裁制に合憲的に移行できるのだ。

憲法第48条に基づく大統領緊急命令を使えば、国会をバイパスすることはできるけれども、この場合、政権は大統領に決定的に依存することとなる。一方、授権法が成立すれば、国会からも大統領からも独立した政権運営が可能となる。

そこで、ヒトラーは、期間を四年に「限定」し、内閣に全権を委任する授権法の成立を目指す。そのため、まず、647名いる国会議員のうち、総選挙で12％獲得した共産党の議員81名を拘束し、国会に出席させず、有効投票数の上限を566名に下げた。それでも、ナチスと国家人民党だけでは三分の二に達しない。そのため、ヒトラーは中央党の懐柔に全力を挙げる。

政権のブレーキ役になれるという幻想に囚われた中央党は、ヒトラーとの交渉に応じ、授権法賛成の交換条件を提案する。最初から守るつもりのないヒトラーが、要求を受け入れたため、中央党は授権法に賛成した。

国会の圧倒的多数で可決された「授権法」

3月23日の授権法採決では、反対は社民党の94名だけで、中央党のみならず、民主党（国家党）など、社民党以外すべての党派が賛成に回ったため、538名中444名の賛成で可決された。賛成者が議員総数647名の三分の二を超えるという、ヒトラーの完勝であった。つまり、国会出席を禁じられた共産党議員が、仮に反対票を投じることができたとしても、授権法はやはり成立していたのである。

「ヒトラーは議会を無視して独裁政権を作った」という岡田克也元民進党代表らの主張とは異なり、ヒトラーは、当時の通説的憲法解釈に従い、議会の圧倒的多数の賛成を得て、独裁を確立した。ワイマール共和国のデモクラシー政党と法治国家体制は、ヒトラーの合法戦術によって「立憲的」に解体されたのである。

また、岡田元代表らは、憲法に緊急事態条項が創設されると、「法律がなくても首相が政令で法律を履行でき、権利を制限できる。恐ろしい話だ」とも主張していた。

しかし、緊急事態条項は手段に過ぎず、安倍前首相を含め、現在の日本の政治家に、この条項を使って議会制デモクラシーを根本的に否定する体制の樹立を目指す革命家がいる

れた権力行使にあたっては、事前に自分と相談すると確約しているから安心してほしいと
それに対し、3月28日付の返信で、ヒンデンブルクは、ヒトラー首相は授権法で認めら
かかったとして、大統領に警告の書簡を出す。
は、党の方針に従い賛成票を投じたものの、採決後ただちに、中央党はヒトラーの策略に
さて、最初の大統領内閣を率い、首相退任後も中央党国会議員であったブリューニング
主国」米国によって塞がれている。
件である。幸か不幸か、我々日本人には、ナチスのような独裁体制を確立する道は、「宗
(protectorate) であることは、米国エスタブリッシュメントの「常識」、米外交の前提条
はこう動く』）のように、公言する例は少ないものの、日本が米国の「保護国」
交指南役だったズビグニュー・ブレジンスキー元大統領補佐官（『ブレジンスキーの世界
のカナダ等英自治領に似た状態にあることを無視している。バラク・オバマ元大統領の外
そもそも、「安倍独裁論」は、今日の日本が、主権を大幅に制限された、第一次大戦前
マール共和国が存亡の危機にあった1923年に成立した授権法に似ている。
が常に存在する。その点で、日本で検討されている緊急事態条項は、強いて言えば、ワイ
緊急事態条項が導入されても、それに基づいて出された政令は、事後に覆される可能性
とは思えない。

述べたうえで、憲法で規定された大統領就任時の宣誓を引用し、こう結んでいる（『ブリューニング回顧録』）。

私は、密接な協力関係を保ち、自らの宣誓「誰に対しても正義を貫く」（Gerechtigkeit gegen jedermann üben）ことに忠実たるべく全力を尽くす。

政権獲得後、数カ月で確立したヒトラー独裁体制は、綿密に計画されていたものではなく、多くの偶然が重なったものであった。最後まで合法戦術に従いながら、授権法成立で全権を握ったヒトラーは、予想外にたやすく議会制のハードルを越えた後、こう漏らしている（モルザイ『１９３３年3月24日授権法』）。

限りなく運がよかった（unendlich glücklich）。

ヒトラー独裁体制確立が円滑に進んだ要因のひとつに、ソ連支援の下、暴力革命路線をとっていた共産党が、ほとんど抵抗らしい抵抗をしなかったことが挙げられる。世界革命に向け、欧州大陸制覇を狙うスターリンにとって、英仏とドイツの対立は必須の条件であり、ヒトラーはおあつらえ向きの持ち駒であったという一部にある穿《うが》った見方を、荒唐無稽《こうとうむけい》な陰謀論と簡単に切り捨てるわけにはいかない。

１９３３年のヒトラー政権獲得時、モスクワにいたドイツ共産党幹部マックス・ヘルツは、スターリンの無抵抗方針に反対し、ドイツに戻って反ヒトラー運動を主導することを志願する。しかし、その願いは叶えられることなく、ヘルツは同年秋、モスクワ近郊の川で「溺死」した（クリヴィツキー『スターリン時代』）。

敗者たちのその後の運命

ヒトラーの独裁体制が確立した後、かつてヒトラー政権を阻止しようとした、これまでの登場人物はどうなったのか。

ブリューニング元首相は、差し迫る身の危険から逃れるため、１９３４年に亡命し、戦後、西ドイツに戻ったものの、再度、ドイツを離れ、１９７０年に米国で没した。

ヒンデンブルクのお気に入りであったパーペン元首相は、今度はヒトラーに取り入り、ナチス政権の下で、駐トルコ大使などを歴任する。戦後、ニュルンベルク裁判でＡ級戦犯に指名されたものの、無罪となり、１９６９年に西ドイツで亡くなった。

ヒトラー最大の敵と目されたシュライヒャー前首相と、ヒトラーに対抗してシュライヒャーと手を結ぼうとした元ナチス最高幹部シュトラッサーには、二人の元首相と違って、悲劇的な最期が待っていた。１９３４年6月30日、ヒトラーは、政権獲得の原動力ながら、権力掌握後はむしろ重荷になっていた突撃隊の粛清を行ない、長年の同志レームらを謀殺すると同時に、突撃隊とは関係のない「危険人物」も合わせて殺害した。いわゆる「長いナイフの夜」事件（第1章参照）である。犠牲者のなかには、シュライヒャーとシュトラッサーも含まれていた。

ヒトラー政権を阻止するため、事実上の法律顧問としてシュライヒャーを支えたシュミットは、政権成立後、授権法は「国民革命」(nationale Revolution) の勝利の表現」だとして、ヒトラー支持を公言する（『１９３３年3月24日授権法』）。「長いナイフの夜」の後、シュミットは「フューラー（総統）は法を護持する」と題する論文で、「まことにフューラーの行為こそ真の裁判権の行使であった」(In Wahrheit war die Tat des Führers echte Gerichtsbarkeit) と主張し、事後法によって殺害を正当化した「フューラー」すなわちヒトラーを賞賛した。

シュミットは戦後、ナチス「御用学者」と非難され、大学から追放されたものの、晩年まで研究を続け、１９８５年に西ドイツで没した。

　そして最後に、ワイマール共和国を守ることができたはずの土壇場で、硬直的立憲主義に屈し、ヒトラーを首相に任命した憲法の番人、ヒンデンブルク大統領は、シュライヒャーの無念の死を見届け、その後を追うように、現職のまま１９３４年8月2日に86歳で亡くなった。

Ⅳ　「欧州共同体」という大いなる幻想

第9章　「欧州連合」の原点

汎欧州は英国抜きで構成されるべきだ
ただし、反英ではなく
リヒャルト・クーデンホーフ＝カレルギー

EUの外様・英国の退場

２０１６年６月23日に行なわれた国民投票で、各国の政治・経済指導層や大手メディアの予想、というより願望に反して、英国民は僅差ながらＥＵ（欧州連合）からの離脱を選んだ。

残留を訴えていたデービッド・キャメロン首相（当時）は、「投票結果を尊重しなければならない」として、ＥＵ残留派が求めていた再投票を公式に否定し、「我々は今ＥＵ離脱手続きの準備を始めねばならないとともに、政府は離脱交渉において英国民にとって考えられる最善の結果が得られるよう全力を尽くす」と表明し、辞任した。

日本では必ずしもよく理解されていないけれども、欧州大陸諸国と異なり、英国の場合、社会の指導層に、以前から「欧州懐疑派」(Eurosceptic)と呼ばれる、EUによる政治統合推進に否定的な意見の持ち主が少なくない。国民投票でも、EU統合推進派のキャメロン前政権の与党でありながら、保守党国会議員の多くがEU離脱に賛成し、二人の党首経験者（イアン・ダンカン＝スミス、マイケル・ハワード）も離脱を唱えていた。

キャメロン政権の内相で後任の首相となったテリーザ・メイも、EU残留支持を表明していたものの、元来は欧州懐疑派といわれ、国民投票をめぐる残留・離脱双方のキャンペーンから距離を置いていた。そのため、キャメロン辞任を受けた保守党の党首選で、離脱派議員からも多くの支持を集めて、議員投票で大差の一位となり、二位の候補が党員による決戦投票を辞退したことから、保守党新党首、すなわち新首相はすんなりと決まった。

ところが、2017年3月29日に正式に離脱通告を行なった後、政権基盤を強固にすべく、前言を翻して議会を解散したところ、6月8日の総選挙で野党労働党が予想外に善戦し、与党保守党は大幅に議席を失って過半数割れとなり、政権は一気に弱体化、離脱交渉を進めることできず、メイは2019年7月24日に辞任した。

メイから政権を受け継いだ、離脱派急先鋒でメイ政権発足時の外相だったボリス・ジョンソン現首相は、事態を打開するため議会解散を断行、12月12日の総選挙で与党保守党が大勝したことから、離脱関連法案が議会を通過、2020年1月31日に英国はEUを離脱した。

英国とEUの関係は、最初から円滑さを欠き、そもそも、その前身であるEEC（欧州経済共同体）が1958年に発足した際の原加盟国は、フランス、西ドイツ、イタリア、オランダ、ベルギー、ルクセンブルクの六カ国で、英国は含まれていない。英国はEUの正式メンバーでありながら、最後まで共通通貨ユーロを採用せず、自国通貨ポンドを維持したまま、何かと独仏主導のEU運営に注文を付ける「外様」であり続けた。

英国は、もともと欧州の一員にあらず

EUホームページの「欧州連合の歴史」欄を見ると、1945年から記述が始まっている。「欧州連合は、第二次大戦に行き着いた、隣国間で頻発する血なまぐさい戦争を終わりにする目的で立ち上げられた」。さらに、この欄では、今日に至る通史に加えて、数々の「EUの先駆者たち」（EU Pioneers）が個別に紹介されている。

英国を代表するかたちで、最初に「欧州合衆国」（United States of Europe）創立を唱

えた一人として、チャーチルが取り上げられている。そこでは、英国を対独戦勝利に導いたにもかかわらず、1945年7月の総選挙で与党保守党が大敗し下野中だったチャーチルが、戦後の欧州再建に向け「我々は一種の欧州合衆国を建設せねばならない」とした、1946年9月のチューリッヒ大学における演説が、引用とともに紹介されている。

2016年の国民投票で示された英国民の離脱という民意と、それを受けた保守党政権による離脱断行は、チャーチルが希求した欧州合衆国の理想への裏切りのようにも見える。しかし、このEUによるチャーチル演説引用は、意図的というしかない、ミスリーディングなものなのだ。

チャーチルは、この演説のEUホームページで引用されていない箇所で、英国は欧州に含まれないと明言しているのである（『タイムズ』1946年9月20日付）。「欧州ファミリー再興の最初のステップは、フランスとドイツの連携でなければならない。これが実現してはじめて、フランスはその欧州における道徳的・文化的リーダーシップを回復できる」とした後、チャーチルは演説をこう締めくくる。

英国、英連邦、力強い米国、そして、私はそうだと信じているけれども、ソビエト・ロシア（略）は、新しい欧州（new Europe）の友人であり後援者であるべきだし、その生きる権利を擁護せねばならない。

　それゆえ、私は皆さんにこう言おう。欧州よ立ち上がれ。


　要するに、大英帝国は、米ソとともに、欧州合衆国のスポンサーの立場を担うだけで、自らがメンバーとして参加することなど、チャーチルの念頭にはなかったのである。チャーチルは、その後も、英国も含めた欧州諸国間の連携には賛意を示したけれども、あくまでもそれは各国政府間（intergovernmental）の協力強化であり、EUのような超国家的（supranational）組織に英国が参加することなど、考えてもいなかった。

　ところが、大英帝国の凋落《ちょうらく》が決定的となった1960年代以降、チャーチル後の英国政府は、仏独主導で創設されたEECへの参加を目指す。ところが、英国の加盟に立ちはだかったのが、チャーチルと並ぶ第二次大戦の英雄、フランス大統領シャルル・ドゴールであった。

　ドゴールの悲願は、戦後世界秩序を取り仕切る二つの超大国すなわち米ソに対抗する、独自の政治経済ブロックとしての欧州再興であり、米国の「トロイの木馬」である英国の参加など、もっての外《ほか》であった。そもそも、英国は欧州には属さず、欧州統合はフランス主導で行なわれるべきという点で、チャーチルとドゴールの認識は一致していたのである。

EU離脱を決めた2016年の国民投票では、若い世代では残留派が過半数だったのに対し、老人は逆に離脱派が多かった。だからといって、若者が前向き、老人が後ろ向きという理解は必ずしも正しいとはいえない。エリート主導で中央集権が進むEUの現状を見れば、老若を問わず、EU離脱派こそ、チャーチルの真意を受け継いでいるように思える。

ドゴール死後の1973年にやっとEEC加盟を認められた後、1975年、英国政府は参加の是非を問う国民投票を挙行する。結果は、加盟賛成派が三分の二の多数を占めた。つまり、かつてEUの前身であるEEC参加を支持した当時の若者たちは、人生経験を積み老人となって臨んだ四十年後の国民投票で、EUにノーを突きつけたのである。

日本を含め各国の大手メディアにおいて、国民投票でEU離脱を支持した「無知」な大衆を嘲笑する論調が目につく。しかし、クリストファー・ブッカーとリチャード・ノースが、「欧州懐疑派のバイブル」とされる著書『大いなる欺瞞《ぎまん》』で明らかにしたように、国民に受け入れられやすい経済的側面での一体化のみを強調し、大多数の国民が望まない、政治、外交及び軍事的側面での欧州統合を進めてきた、これまでの政府の姿勢は、誠実さを欠くものであった。むしろ、推進派エリートを信じて、残留に一票を投じた人々が、どれだけEUにとどまることの意味を理解しているのか疑問である。

ＥＵの誕生、空想から現実へ

前述のＥＵホームページの歴史欄は、第二次大戦後から話が始まっている。しかし、欧州統合の歩みは、それ以前から進んでいたことを忘れてはならない。神聖ローマ帝国など、国民国家成立以前のことは別にして、欧州諸国民の内戦ともいえる凄惨な第一次大戦後、各国で欧州連携の機運が高まる。

こうしたなか、オーストリア貴族を父に、日本人女性を母として東京で生まれた、無名の青年によって始められた「汎欧州」（パン・ヨーロッパ、Pan-Europa）運動が、欧州で大きなうねりとなる。彼の名はリヒャルト・クーデンホーフ＝カレルギー。

クーデンホーフは、１９２３年に出版した『パン・ヨーロッパ』で、チャーチルに先駆けて、「汎欧州に向けた努力の到達点は米合衆国にならった欧州合衆国の設立（Konstituierung der Vereinigten Staaten von Europa）」であり、「汎欧州を共に建設する確固たる目的は汎欧州連合（Paneuropäische Union）」であると記している。

クーデンホーフは、欧州各国のナショナリズムを厳しく批判する。しかし、ＥＵを主導する今日の政治エリートとは異なり、彼は民族（Nation）概念そのものに否定的なわけではない。彼は、「血の共同体」ではなく、文化をともにする「精神の共同体」(Geistesgemeinschaft) としての欧州民族 (europäische Nation) を、積極的に肯定する。クーデンホーフは言う。

民族的排外主義は、抽象的国際主義によって打ち倒すことはできない。民族文化をひとつの欧州文化に深化拡大することによってのみ、それは可能なのだ。(略) 西洋の (abendländische) 文化的統一は、言語的・政治的にいくつかのグループに分かれた、ひとつの欧州民族について語る権利を我々に与える。この汎欧州文化感情 (Kulturgefühl) を浸透させることに成功すれば、すべての良きドイツ人、フランス人、ポーランド人、そしてイタリア人は、同時に良き欧州人であり得る。

欧州文化とは、古典古代とキリスト教に基づく白人の文化だとするクーデンホーフは、「ポルトガルからポーランドに至る (略) 平和と自由の統一世界」に対する、外からの介入を拒絶する。「西［米国］も東［ロシア］も欧州を救いはしない。ロシアは欧州を征服 (erobern) しようとし、米国は買収 (kaufen) しようとする」。

チャーチルと同じく、クーデンホーフの欧州合衆国構想に、七つの海を支配する大英帝国は含まれていない。ただし、共産ロシアの侵略から欧州を守ることの重要性とともに、クーデンホーフは、汎欧州が決して反英でないことを強調し、ゲルマン語（ドイツ語やオランダ語など）とロマンス語（フランス語やイタリア語など）の中間に位置する英語こそ、汎欧州の共通語に相応しいと述べている。

加えて、将来、大英帝国が崩壊した場合、英本国（とアイルランド）が汎欧州に参加することは否定していない。ただし、その場合も、北米と言語、血そして文化でつながった英国が、ドーバー海峡ではなく、大西洋の向こう側との結びつきを選ぶ可能性が大であると指摘している。

クーデンホーフは理想家であると同時に、現実政治にも目配りを怠らないリアリストであった。ドイツ国内で根強い支持があり、実現可能性のある選択肢のひとつである独露連携を、「欧州の将来にとって最大の危険のひとつ」であるとみなしていた。ライン河（ドイツ西部国境）が東部境界となれば、「残りの欧州はアングロサクソンの保護(Protektorat)に依存したトルソとなり、汎欧州理念は永遠に葬り去られる」。実は、今日でもドイツでは、日本とはむしろ逆に、とくに保守層にロシアとの協調を求める声が絶えない。

クーデンホーフは、「欧州合衆国の実現に対する最大の障害は、汎欧州の二大人口大国であるドイツとフランスの、千年来のライバル関係である」という認識の下、独仏対立で勝者となるのはロシアだとして、ドイツをロシアの側に追いやることにつながる、第一次大戦後のフランスによるドイツ圧迫を戒め、汎欧州実現に向けた独仏連携の決定的重要性を説いている。

今も昔も、欧州安定のカギを握るのは独仏関係であり、英国は脇役でしかない。そして、隠然たる影響力を欧州に及ぼし続ける巨大な隣人ロシアの存在。一世紀前に書かれたクーデンホーフの『パン・ヨーロッパ』は、今日でも熟読に値する。

「すべての偉大な歴史的事績は空想として始まり、現実として終わる」と高らかに宣言するクーデンホーフの汎欧州運動に、第一次大戦後、多くの著名人が賛意を示した。なかでも、当時の欧州政界の大立者、フランスの首相と外相を歴任したブリアンは、運動の熱烈な支持者となるばかりでなく、一青年の理想を現実化すべく、精力的に行動する。

1929年9月の国際連盟総会で、首相兼外相だったブリアンは、近年、「ひとつのプロパガンダ」(汎欧州運動の意) に積極的に関与していると述べ、欧州諸国民には「ある種の連合関係 (lien fédéral) が存在せねばならぬ」と宣言した。この演説を受け、直ちにブリアンの構想に賛意を示した欧州27カ国代表は、彼に構想を具体化した文書を準備することを要請する。

チャーチルはこのときも、欧州連合に向けたブリアンの試みを賞賛しつつ、「我々は欧州とともにあるけれども、その一部ではない（with Europe but not of it）。我々はつながっているけれども、中には含まれない。（略）我々は一種の欧州合衆国を建設せねばならない。英国、英連邦、力強い米国は新しい欧州の友人であり後援者でなければならない」（『サタデー・イブニング・ポスト』1930年2月13日号）。第二次大戦後のチューリッヒ大学演説と全く同じ主張である。

1930年5月、ブリアンが外相の地位にあったフランス政府は、「欧州連合体制の組織に関するメモランダム」（Mémorandum sur l'organisation d'un régime d'Union fédérale européenne）を国際連盟に正式に提出した。文書本文では、《fédérale》抜きの《Union européenne》という、現在のEUのフランス語表記と同じ表現が用いられている。

フランス政府はこの文書のなかで、欧州における政治協力は、統合（unité）ではなく連合（union）に基づくとして、各国の独立と主権を尊重することを強調する一方、今日のEUと同様の連合独自機関の必要性を訴えている。

すなわち「欧州連合にその業務遂行に不可欠な組織を確保するメカニズムの必要性」と題した箇所で、各国代表からなる欧州連合の一義的指導機関である「欧州会議」（Conférence européenne）、常設の執行機関である「欧州委員会」（Comité européen）、そして実務を司《つかさど》る「事務局」（Secrétariat）の設置が提案されている。

このメモランダムに対して、英国政府は公式回答で、経済の領域において欧州諸国がより緊密に協力することには賛成するとしたうえで、欧州外に対して排他的なものとならないよう釘を刺す。さらに、提案された連合独自の機関は、国際連盟に屋上屋を架《か》すものであるとして難色を示し、フランスが提案する欧州諸国の関係強化は、既存の国際連盟の枠内で行なえるとした。フランス主導による欧州の政治統合推進への懐疑は、今に始まったことではなく、英国の伝統なのである。

しかしながら、英国の意向以前の問題として、この文書が公表された時点で、ブリアンとその好敵手であり良きパートナーであったシュトレーゼマン独外相が主導する、仏独連携に支えられた１９２０年代の欧州の政治的安定は、もはや過去のものとなりつつあった。シュトレーゼマンは１９２９年10月に現職のまま急死し、その直後に起こった米国株式市場での大暴落、それに続く世界規模の大不況で、欧州のみならず世界は大動乱時代を迎える。ブリアンも１９３２年に亡くなった。

こうして、欧州統合の試みは、一旦、頓挫し、その推進は第二次大戦後に持ち越されたというのが、今日の「正史」である。ところが、実際には、大戦が終わるまでの「空白」期間に、欧州統合はドイツを中心にして、意外な展開を見せていた。

第10章　幻のヒトラー汎欧州構想

新しい欧州が前進する
ヨアヒム・フォン・リッベントロップ

欧州統合の盟主は、フランスかドイツか

第一次大戦後、当時まだ二十代のクーデンホーフ＝カレルギーが提唱した汎欧州運動を契機に、フランス主導で進んだ具体的な動きは、1930年5月に、フランス政府が国際連盟を通じて「欧州連合」構想を提案した時点がピークとなり、そのまま立ち消えとなってしまう。大恐慌によって欧州のみならず世界的に政治が不安定化し、とくに1933年1月にドイツでヒトラー政権が成立したことで、欧州の平和的統合の道は完全に絶たれたかに見えた。

今も昔も、欧州統合成功のカギを握るのは、独仏連携である。しかし、第一次大戦にお

ける勝者の立場を永続させ、ドイツをジュニア・パートナーの地位にとどめたうえで、自国主導の欧州統合を狙うフランスと、欧州の覇者を目指すナチス・ドイツは、当然ながら氷炭《ひょうたん》相容れなかった。

ただし、欧州統合の最大の障害である独仏の対立は、先鋭化したことは確かなものの、ヒトラーの登場がもたらしたものではない。

19世紀後半以来、ビスマルクによる統一を経て、躍進著しいドイツは、人口でも経済力でも、フランスを圧倒する。しかし、フランスは、ドイツの覇権を恐れる英国とともに、ドイツ包囲網を完成させ、第一次大戦に勝利し、欧州大陸の覇者となった。しかしながら、潜在的国力におけるドイツ優位の状況が変わったわけではなく、フランスがドイツを政治的に従属させ続けることには無理があった。

欧州統合を主導するのは、フランスかそれともドイツかという、19世紀以来の難問は、第二次大戦が解決することになる。

道徳的に圧迫され続ける戦後のドイツ

第一次大戦後のドイツでは、ヒトラー政権成立以前から、戦後体制は戦勝国に押し付けられた不当なものだとして、その解消が国民的悲願となっていた。それに対し、第二次大戦では、通常の戦争犯罪とは質の異なる、ホロコーストと呼ばれるユダヤ人の組織的殺害があったために、戦後のドイツ人は、政治的・道徳的に戦勝国に完全に従属することを余儀なくされる。

国土の東部がソ連の衛星国東ドイツとなり、東西対立の最前線として、過去から断絶するかたちで誕生した西ドイツにとって、フランスのジュニア・パートナーの資格で欧州統合に参加するしか選択肢はなかった。むしろ、国民はすすんで、対仏「従属」を受け入れたのである。状況は基本的に、冷戦終結後、旧東ドイツと再統一を果たし、人口でも経済力でも、フランスや他のEU諸国を圧倒するようになった今日においても同様である。

社民党重鎮かつ現職のドイツ連邦銀行理事でありながら、イスラム移民反対論を唱え、ドイツ国内に大論争を巻き起こしたティロ・ザラツィンは、2012年にEUの財政・金融政策と、それに従うドイツ政府を厳しく批判した『欧州はユーロを必要としない』で、こう述べている。

この六十年余のドイツにおける、欧州というものへの際立った思いは、ナチス時代の道徳的重荷なしには説明できない。とはいえ、第二次大戦が終わって六十七年、このような衝動は、決して欧州の統一通貨や共存といった問題に関する適切な指針ではない。しかし、我々のパートナーたちは、この弱味に気づいている。

ザラツィンに限らず、こうした認識は、ドイツでは常識といってよい。欧州金融危機時、ドイツに負担を押し付ける他国に対し、ドイツの代表的経済誌『ヴィルトシャフツヴォッヘ』の主筆（当時）ローラント・ティヒは、「過去の蛮行が、道徳的圧迫を目的として、冷静かつ打算的に利用される」と記している（２０１２年2月6日号）。

一方、経済力でドイツに大幅に劣ることを正面から認め、ドイツから学ぶ必要性を強調し、より対等なかたちでの独仏連携を目指したフランスの政治家もいた。父親がハンガリー出身、母方の祖父がユダヤ人である、ニコラ・サルコジ元大統領である。

ところが、サルコジがドイツのアンゲラ・メルケル首相との緊密な協力の下で進めた、経済的現実に立脚した独仏連携は、２０１２年の大統領選挙で、社会党のフランソワ・オランドにドイツへの屈服だと批判される。最終的に、第二次大戦中の対独レジスタンス運動まで引き合いに出し、フランスの栄光を前面に掲げたオランドが、現職のサルコジを破り、大統領となった。経済力で劣るのに欧州の盟主たらんとするフランスのエリートにとって、ドイツの負の過去は、簡単には手放せない「切り札」なのである。

おそらく、典型的なフランスのエリートであるエマニュエル・マクロン現大統領の下でも、よほどフランス経済が危機的状況にならないかぎり、フランスのドイツに対する政治的優位は続くであろう。欧州統合において、ドイツがフランスのジュニア・パートナーにとどまることは、対独警戒論が根強い米国指導層の方針とも合致する。ドイツ主導の欧州統合は、永遠とは言わないまでも、当分は望み薄である。

ただし、以下に記すように、ドイツ主導の欧州統合が現実のものとなったことが、一度はあったのである（ワルター・ポスト『ヒトラーの欧州』）。

ドイツ主導の欧州連合構想

ヒトラーは政権掌握後、軍事力で隣国を威嚇《いかく》しつつも、実際には一切戦闘を行なわずに、次々にドイツの領土を拡大する。ところが、住民のほとんどがドイツ人でありながら、第一次大戦後にドイツから切り離され、ポーランドと国際連盟の共同管理下にあったダンツィヒの領有権をめぐり、ヒトラーは手詰まりとなる。1939年3月のドイツによるチェコ併合を契機に、英仏がこれまでの対独宥和《ゆうわ》政策から強硬姿勢に転換し、その支援を得たポーランドが、ドイツの返還要求を拒絶したのである。

ヒトラーは英仏と対抗するため、1939年8月23日、不倶戴天《ふぐたいてん》の敵だったはずのスターリン治下のソ連と独ソ不可侵条約を締結し、世界に衝撃を与える。東欧を二分することを定めた秘密議定書に沿って、9月1日、ドイツ軍はポーランド侵攻を開始した。戦争を二国間に限定したかったヒトラーの期待に反し、英仏がドイツに宣戦布告したため、欧州全体を巻き込む第二次大戦が始まった。当初は「まやかしの戦争」(Phoney War)と称されたように、英仏とドイツの間には戦闘らしい戦闘がない状態が続く。しかし、翌1940年5月にドイツ軍は西部戦線で電撃作戦を開始、フランス軍は早くも6月に降伏し、第一次大戦の英雄フィリップ・ペタン元帥を首班とする対独協力政権、いわゆるヴィシー政府が成立した。

英国との激闘は続いていたものの、1940年秋以降、欧州大陸の覇者となったヒトラーは、ドイツ主導の新しい欧州秩序構築を前面に打ち出す。その嚆矢《こうし》ともいえるのが、1940年9月27日に調印された日独伊三国同盟であり、その第1条はこう規定された。

「日本は、欧州新秩序創設（Schaffung einer neuen Ordnung in Europa）におけるドイツ及びイタリアの指導的地位を承認し尊重する」

なお、三国同盟は日独伊に限定されない「開かれた」条約であり、実際、ハンガリーやルーマニアなどが、次々に加盟した。

さらに、1941年1月30日、恒例となっていたナチス権力掌握記念日の演説でも、ヒトラーは、「1941年が偉大な欧州新秩序（Neuordnung Europas）の歴史的な年となることを、私は確信している」と宣言した。

ヒトラーは、ファシスト・イタリアの指導者で盟友のムッソリーニの顔を立て、表向きは、ドイツとともにイタリアが欧州新秩序を主導すると言いながら、経済的にも軍事的にも弱体なイタリアを重荷に感じていた。実際には、総力戦を遂行するうえで、ヒトラーはフランスとの連携を最も重視していたのである。

1941年5月11日、ヒトラーは、フランス・ヴィシー政府のナンバー・ツー、副首相フランソワ・ダルラン提督と会談する。ヒトラーは、独仏間の長年の懸案であるアルザス・ロレーヌの帰属について、ドイツが、領有権放棄という犠牲を払ってまで対仏協調を望んでいたのに、フランスは対独宣戦布告という愚かな選択を行なったと指摘したうえで、次のように述べたと伝えられている（ジャック・ブノワ＝メシャン『時代の試練に』）。

しかしながら、私はフランスに対して、新しい紛争の原因になるような痛手を負わせることを意図していない。

歴史的にドイツ人の地であるアルザスについても、露骨に併合するのではなく、ある程度の自治を認める妥協案を考慮しているとして、こうも述べる。

極端なケースとして、この地を一種の独仏間の緩衝地帯とすることも考えられるし、ストラスブールに欧州の経済組織化の任に当たるすべての機関を設置してもよい。

実際、アルザスの中心都市ストラスブールには、現在、EUの立法機関である欧州議会の本会議場がある。

ヒトラーは、さらに、ダルラン副首相が求めたフランスの海外植民地維持に同意するなど、対仏協調姿勢を示しつつ、対仏政策を自らの一存で決められないことを明かす。

私には配慮しなければならない同盟者がいる。それはムッソリーニだ。もし、私があなたの要望にすべて応じたら、ムッソリーニの気分を害することになる。

ヒトラーは、ムッソリーニの対地中海・アフリカ政策が自らの方針と大幅に異なることを認めつつ、フランスと異なり、不十分ながらドイツに軍事的貢献をするイタリアの意向を蔑《ないがし》ろにするわけにはいかないことを、ダルランに説いた。

この後、1941年6月22日にドイツ軍の先制攻撃により、独ソ戦が始まり、日本が12月8日に真珠湾を攻撃したことで、欧州大戦は真に世界規模の大戦となる。12月11日、ヒトラーは対米宣戦布告に際して、「欧州とは何か」と問いかけた後、こう続けた。「我々の大陸に地理的定義はなく、民族的、文化的定義しかない。この大陸の境界はウラルではなく、西の人間像（Lebensbild）を東のそれから分けるところにある」。そして、欧州がギリシャ・ローマに由来する「西洋」（Abendland）であることを強調する。クーデンホーフの汎欧州運動の背景にある欧州観との類似性は明らかである。

ヒトラーはさらに、「ドイツは今、自分自身のためではなく、我々の大陸すべてのために戦っている」としたうえで、欧州大陸諸国を反目させる英国の勢力均衡策を批判する。また、対ソ戦において欧州の前線を守るため、新しい欧州という概念の広がりに導かれて、ドイツの同盟国軍のみならず、その他の欧州諸国から義勇兵が参加していることを自賛している。実際、「アジア的野蛮」を体現する共産ロシアから欧州を守るというプロパガンダを信じて、ドイツ以外の欧州各国から多くの若者が馳せ参じ、戦いに身を投じていたのである。

幻の欧州経済共同体・国家連合構想

米国参戦と対ソ戦膠着《こうちゃく》化で、戦争の長期化が不可避となったため、ヒトラーは1942年1月10日、戦時経済体制強化のフューラー命令を出す。そのためには、ドイツ支配下にある欧州諸国との、さらなる経済一体化が欠かせない。

その五日後の1月15日、ナチス・ドイツ政権の経済政策を司る、経済相兼ライヒスバンク（中央銀行）総裁ワルター・フンクは、ヒトラーの「新しい欧州」を経済面で具体化する「欧州経済共同体」(Europäische Wirtschaftsgemeinschaft) 構想を明らかにする。この名称は、EUの前身であるEECのドイツ語表記（略称はEWG）と全く同じである。

構想の詳しい内容は、フンク本人を含むナチス政府・党の経済担当幹部が執筆し、この年に出版された論文集『欧州経済共同体』に詳しく記されている。

フンク経済相によれば、「欧州経済共同体への意志は、現在、戦争状態の厳しい圧迫によって特徴づけられていると同時に、平時においても支配的な経済の主導理念でなければならない」。また、新しい経済秩序を現実化するには、欧州諸民族の社会的責任意識が必須であり、「新しい欧州経済はその社会的義務を果たすことを最優先の使命と見なさねばならない」。

この論文集は、当面の戦時経済体制強化のみならず、戦後のあるべき姿、もちろんドイツ勝利後のあるべき欧州の在り方を念頭に置いたものになっている。

外務省のカール・クロディウスは、「お互いの協力、参加する全ての欧州諸国民の自発的で喜びに満ちた協力を通じてのみ、真に安定した欧州経済が生じ得る」とし、「成功の前提となるのは、全ての欧州のパートナーたちが、こうした発展が、ドイツのみならず、彼らにとっても利益になると確信することにある」と述べている。

戦局が悪化した1943年3月、ヨアヒム・フォン・リッベントロップ外相は、さらに踏み込んだ「欧州国家連合」(Europäischer Staatenbund) 創設構想をヒトラーに提案する。今日のEUの理念と極めて近く、この提案の骨子となるのが、次の箇所である。

「欧州国家連合」のメンバーは主権国家であり、互いにその自由と政治的独立を保障し合う。それぞれの国内問題の処理は、各国の主権的決定に委ねられる。

リッベントロップ外相は、重要な軍事的成功が得られ次第、戦争が終わる前であっても、欧州国家連合の創設を行なうべきだと主張した。そうすることで、ドイツの勝利で戦争が終わった後に、ドイツが決して各国に強圧的姿勢で臨まないことを事前に明示し、各国との連携を強化できると考えたのである。

創設に当たっては、ザルツブルクあるいはウィーンに各国代表を招いて、大々的に調印式を行なうことが提案された。参加対象は、当然ながら敵である英国こそ入っていないものの、スペインからバルト三国まで、現在のEU加盟国とほとんど同じである。

ただし、この提案にヒトラーは同意しなかった。戦局が悪化し、イタリアですら信用できない当時、「同盟」国を、力で押さえつけるしかないという現状を、ヒトラーは冷静に把握していたのである。

翌4月、外務省内に、戦後の欧州新秩序について検討する「欧州委員会」(Europaausschuss) が設置される。

委員会は、9月9日に提起した十七項からなる指針で、欧州がこれまで同様、世界における指導的地位を維持するには、「統一」(Einigung) が不可欠だとしつつ、各国の自発性を強調し、こう記す。

欧州連合 (europäischer Bund) 加盟国は、それぞれ独立と自由を保ち、国内問題への干渉は意図されていない。

欧州各国への唯一の要求は、忠実な、欧州を肯定する欧州共同体（europäische Gemeinschaft）の一員たること、共同体の課題に積極的に協力することである。

しかし、前日の9月8日には、時間の問題とされていたイタリア降伏が連合国側からすでに公表されており、ドイツはもはや戦後の欧州政策どころの話ではない状況に追い込まれていた。

さらに戦局が悪化するなか、1944年3月10日、ウィーンにおける「南東欧協会」（Südosteuropa-Gesellschaft）での講演で、フンク経済相は、戦後のドイツ主導の欧州統合構想について、これまでの主張を繰り返す。

フンクは、ドイツと南東欧諸国の密接な経済関係は、戦前・戦中同様、戦後も継続するとしつつ、それは必ずしも経済ブロック化を意味するものではなく、「緊密かつ実り多い世界経済との関係確立は、戦後の最も重要な課題のひとつでなければならない」としたうえで、こう述べた。

将来の欧州経済共同体は、私的所有権、個人のイニシャチブ、業績をめぐる競争、そして健全で公正な利害の調整という基盤のうえに成り立つこととなろう。我々は欧州において、小さな領域に閉じこもった、これまでの考え方を捨てなければならない。

もはや実現の可能性のないフンクの「理想」論は、ドイツ敗北後を見据えた将来への布石であったのかもしれない。南東欧諸国は、戦後ほぼ半世紀はソ連の支配下に入らざるを得なかったものの、冷戦が終わった今日、少なくとも経済的にはドイツの勢力圏となっている。

1945年4月30日にヒトラーは自殺し、5月8日、ドイツ軍は連合軍に無条件降伏した。国際法上の協定に基づき占領された日本と違い、国家としてのドイツは、連合国による「征服」(debellatio)によって消滅してしまった。西側からは米国、東側からはソビエト・ロシアという、欧州外の二大国から挟撃され、ドイツ主導の欧州統合というヒトラーの野望は打ち砕かれたのである。

しかし、ドイツ主導の欧州統合は、永遠に過去のものとなったのだろうか。非ナチ化が行なわれたとはいえ、フンク経済相（ニュルンベルク裁判で終身刑）やリッベントロップ外相（同死刑）といった政権上層部は別にして、大戦中に欧州経済共同体や欧州国家連合構想をはじめとするナチス・ドイツの欧州統合政策に関わった中堅官僚たちは、戦後、西ドイツ復興の中核を担う。彼らが、戦中のドイツ主導の欧州統合構想に全く影響されなかったとは考えにくい。

確かに戦後このかた、欧州統合を主導してきたのは、ドイツではなかった。ヒトラー登場前と同じく、フランスである。とはいえ、英国が離脱した今、対象となる地域という点で、EUとヒトラーが思い描いた「新しい欧州」はほとんど同一となった。そして、少なくとも経済力に関して、ドイツが欧州最強国であるということも。

V　「不戦条約」と日本の運命

第11章 「日本＝戦争犯罪国家」論の根拠

戦争は不可欠な制度である

ヨーゼフ・クンツ

安倍談話が触れた「不戦条約」とは

２０１５年8月15日に公表された安倍晋三首相（当時）の戦後七十年談話をめぐっては、当然ながら賛否両論が巻き起こった。とはいえ、安倍前首相を「歴史修正主義者」として批判し警戒する国内外の勢力からすれば、意外なほど「穏当」な内容で、拍子抜けであったようにもみえる。

一方、安倍支持層からみれば、これまでの歴代の首相談話に比べれば「改善」されたものの、基本的に東京裁判史観の枠内にとどまっていることに、失望した向きも多かったに違いない。

安倍談話は、第一次大戦後の国際情勢を次のように描く。

　世界を巻き込んだ第一次世界大戦を経て、民族自決の動きが広がり、それまでの植民地化にブレーキがかかりました。この戦争は、一千万人もの戦死者を出す、悲惨な戦争でありました。人々は「平和」を強く願い、国際連盟を創設し、不戦条約を生み出しました。戦争自体を違法化する、新たな国際社会の潮流が生まれました。
　当初は、日本も足並みを揃《そろ》えました。しかし、世界恐慌が発生し、欧米諸国が、植民地経済を巻き込んだ、経済のブロック化を進めると、日本経済は大きな打撃を受けました。その中で日本は、孤立感を深め、外交的、経済的な行き詰まりを、力の行使によって解決しようと試みました。国内の政治システムは、その歯止めたりえなかった。こうして、日本は、世界の大勢を見失っていきました。
　満州事変、そして国際連盟からの脱退。日本は、次第に、国際社会が壮絶な犠牲の上に築こうとした「新しい国際秩序」への「挑戦者」となっていった。進むべき針路を誤り、戦争への道を進んで行きました。

戦間期日本が世界の大勢を見失い、国際秩序に対する挑戦者となったという安倍談話の歴史観は、確かに戦後世界の正統史観である連合国戦勝史観に沿ったものであることは間違いない。

ここで、この談話に出てくる「不戦条約」という言葉に注目してほしい。

東京裁判とニュルンベルク裁判において、日独指導者が侵略戦争を行なったと断罪する法的根拠とされ、安倍談話によれば世界の大勢を体現したとされたのが、ほかでもなく、1928年に日本も原締約国として調印した、この不戦条約であった。条約成立に尽力した当時の米仏両国外相の名を冠して、「ケロッグ＝ブリアン条約」と呼ばれることも多い。

しかし、不戦条約とその背景にある国際情勢についての当時の欧米での認識は、連合国戦勝史観に沿った今日の通説とは、実は大きく異なっていた。不戦条約ひいては戦争そのものに関する当時の考え方を知ることなしに、国際社会において独立のプレーヤーとして行動した戦間期日本の対外政策を、客観的に把握し、その是非を冷静に判断することはできないであろう。

「戦争を終わらせるための戦争」

安倍談話にもあるように、第一次大戦は「一千万人もの戦死者を出す、悲惨な戦争」であり、それまでの戦争とは比較にならない大きな犠牲をもたらした。しかし、大戦の特異性は、その巨大な人的物的損害という物理的側面に限定されるものではない。その心理的側面においても、第一次大戦は、従来とは異なった様相を呈した。

宗教戦争の悲惨な体験を経て、近代欧州では、戦争とは、対等な主権国家どうしのルールに基づいた紛争解決手段であって、お互いの立場を認め合ったうえでの、一種の「決闘」であった。ところが、第一次大戦では大衆を巻き込んでの宣伝合戦が繰り広げられ、とくに英仏側から、正義と悪の戦いという構図、具体的には平和を愛する英仏デモクラシーと、世界征服を狙《ねら》うドイツ軍国主義という対立図式に基づく、強烈かつ効果的なプロパガンダが行なわれた。

その過程で一世を風靡《ふうび》したスローガンが、H・G・ウェルズが広めた「戦争を終わらせるための戦争」(the war to end war) である。ドイツという悪の元凶を倒せば、戦争の原因はなくなり、永久の平和が訪れる。英仏は戦争を根絶するための歴史上最後の戦争を戦っているというわけである。

英国にとってこの情報戦の最大の成果は、米国の参戦であった。英仏にとって幸いなことに、当時の米大統領はメシア的性格の持ち主ウッドロウ・ウィルソン。再選された1916年の大統領選で中立厳守を公約に掲げていたにもかかわらず、ウィルソンは1917

年4月、参戦を決断し、議会の承認を求めるに際し、「世界をデモクラシーにとって安全な場所にせねばならない」（The world must be made safe for democracy）と高らかに宣言した。

第一次大戦は、世界をデモクラシーの「楽園」とするための最終戦争として、近代以前の宗教戦争あるいは十字軍に先祖返りした、正義が悪を滅ぼす正（聖）戦として戦われたのである。

こうした正戦観は戦後も継続する。パリ講和会議の後に締結されたベルサイユ条約は、第227条で、国際道義と条約の神聖を犯したとして、ドイツ皇帝ヴィルヘルム二世を戦争犯罪人として訴追すると規定した。亡命先の大戦中立国オランダが引き渡しを拒否したため実現しなかったものの、国家元首を戦争犯罪人として処罰するという発想は、前代未聞であった。

さらに、正義が悪に勝利したという戦争観を反映して、条約は「戦争責任条項」（War Guilt Clause）と呼ばれた第231条で、ドイツとその同盟国の《aggression》に強いられた戦争の結果生じた連合国の全損害の責任が、ドイツとその同盟国にあり、ドイツもその責任を承認すると規定し、巨額の賠償金を科した。いわゆるドイツ「単独責任」論である。

ただし、当時の国際法の理解を反映して、今日では「侵略」と訳される《aggression》に、我が外務省は定訳で「攻撃」という中立的訳語を当てている。第一次大戦を契機とする戦争違法化の流れは、まだ始まったばかりだったのである。

「自力救済」と「自衛」は、どう違うか

19世紀以降、第二次大戦後に至る国際法上の戦争観の変遷については、田岡良一元京大教授の著作、とくに『国際法上の自衛権』が必読文献である。

ただし、安倍談話によれば日本が、世界の大勢を見失ったとする両大戦戦間期の国際社会の潮流を示すため、ここでは主として当時の代表的な欧米の学者、それも、シュミットのような「保守反動」学者の論説は避け、国際協調派自由主義者の文献からの引用で、戦争観の変遷を提示する。なお、国際法上同じ概念を指す、英米法の《self-defense》、フランス法の《légitime défense》及びドイツ法の《Notwehr》は、すべて「自衛」で統一する。

まず、大戦当時の国際法では、武力攻撃への反撃である自衛戦争はもちろん、自ら戦端を開く攻撃戦争も主権国家の政策手段として認められており、戦争中の残虐行為等は別に

して、戦争を開始し遂行することが犯罪に当たるとは考えられていなかった。加えて、今日の観点からは意外にも、自衛という概念は重視されていなかったのである。

イタリアの国際法学者ディオニシオ・アンチロッティは、1929年に出た独語版『国際法講義』（邦題『アンチロッチ国際法の基礎理論』）でこう述べている。彼は当時、常設国際司法裁判所（国際司法裁判所の前身）の裁判長であり、そのバランスのとれた見解で、斯界《しかい》の世界的権威とされていた。

法的保護が実効性ある一定の機関に独占的に委《ゆだ》ねられている社会では、自らの権利を守り、原状を回復するため、加害者に対して実力を行使する「自力救済」（Selbsthilfe; self-help）は原則禁止される。それゆえ、その例外としてのみ認められる自衛は、独自の概念として意味を持つ。

それに対し、法秩序が個々のメンバーに自力救済を認めている社会では、「自衛は独自の制度としての性格を失い、自力救済行為を分類する際に生ずるいくつかあるカテゴリーや形態のひとつに過ぎなくなる。一般的にいって、これが国際法の状況である」。

要するに、国際社会では自力救済が認められている以上、その一部に過ぎない自衛を、取り立てて議論する必要はないということである。

「攻撃戦争」と「防御戦争」

日本の法学界にも大きな影響を及ぼした純粋法学の提唱者で、20世紀を代表するオーストリアの法学者ケルゼンは、1932年に発表した論文「国際法における不法と不法効果」で、自力救済と自衛について、アンチロッティと同様の見解を示した後、こう付け加えている。「国際政治の場で大きな役割を果たしている攻撃及び防御戦争（Angriffs-und Verteidigungskrieg）の区別は、戦争は不法への対処としてのみ国際法上許されるという（略）法学的観点からいえば、無意味あるいは極めて限定された意味しかない」。なぜなら、「被《こうむ》った不法への対処としての戦争は、攻撃戦争であっても許されるからである」。敵対行為を先に始めたという意味での「《Angriff》はそれ自体で違法なわけではない。一定の状況でのみ違法となるに過ぎない」。

自力救済が原則として認められている以上、武力攻撃以外の不法行為に対しても武力攻撃で対処することが、当然認められる。したがって、《aggression》や《Angriff》を、「侵略」と訳すのは、多くの場合、適切ではない。田岡は、第二次大戦後も、《aggressor》は「普通侵略国と訳されるが、必ずしも領土の侵略をする国という意味ではない。攻撃国という方が適当かもしれない」と説いている（田岡『国際法Ⅲ』）。

いずれにせよ、一般国際法においては攻撃戦争も含めて自力救済が認められているというのが、第一次大戦後も、国際協調派の国際法学者たちの見解であった。さらに、ここで引用した文献は、すべて不戦条約が調印された1928年以降に公刊されたものであることに注意していただきたい。

しばしば、少なくとも第一次大戦まで、戦争は主権国家の自由であったといわれる。それに対し、ここでは一般国際法上、違法行為に対する自力救済の手段として戦争が認められていたと論じてきた。

しかし、自力救済が違法行為を前提とするといっても、違法行為があったか否かは当事者が判断し、それを退ける上位機関は存在しない。結局、戦争は主権国家の自由という説と、違法行為に対する自力救済という説の間に、実質的違いはない。

たとえ一般国際法では自力救済原則が認められていたにしても、第一次大戦後は、国際連盟規約や不戦条約がそれを否定し、国内社会同様、国際社会でも自衛のみが許されることになったのだろうか。次に、不戦条約に至るまでの戦争制限の動きを追ってみよう。

国際連盟の戦争観

史上稀《まれ》にみる犠牲をもたらした「戦争を終わらせるための戦争」が終わった後、永遠の平和を渇望する国際世論を背景に、国家間の紛争を平和的に解決する組織として、国際連盟が1920年に創設される。

国際連盟規約は、前文で「締約国は戦争に訴えない義務を受諾」するとしたうえで、第10条において「連盟国は連盟各国の領土保全（territorial integrity）と現在の政治的独立を尊重し、外部からの《aggression》に対し擁護する」としている。

一見、連盟加盟国は戦争を全面的に禁止されたようにみえる。しかし、オーストリアの国際法学者アルフレート・フェアドロスが、1937年に公刊した『国際法』で指摘しているように、「領土保全」とは、領土を奪ったり自国に服属させたりしてはならないということであり、「領土不可侵」すなわち他国領土を攻撃してはならないという意味ではない。本条文が禁じたのは、領土保全を侵害する他国征服のための侵略戦争であって、他国の領土での武力行使を全面的に禁止したわけではない。

連盟規約第11条以下の条文を読めば、加盟国が戦争に訴えることは制限されたものの、戦争そのものが禁止されたわけではないことは明白である。攻撃戦争も場合によっては許されることを前提としており、自力救済の原則が保たれているといってよい。

連盟規約は第12条第1項で「連盟国間に国交断絶に至るおそれのある紛争が発生したとき」は、両者合意のうえで拘束力ある仲裁裁判（または司法的解決）を求めるか、連盟による審査を要請しなければならないとする。

連盟による紛争解決については第15条で詳細に規定されている。連盟の審査に付された場合、連盟はまず当事者間の和解（和協）を促す（第3項）。和解が成立しなければ、連盟は当事者に紛争解決に向けた勧告を行なう（第4項）。連盟にできることは、受託するか否かが原則として当事者に任された勧告を行なうところまでなのだ。

国交断絶のおそれがあるとして付託された紛争に、最終的解決を与えないということは、国際連盟は国交断絶が生じ得ることを前提としていると考えざるを得ない。実際、連盟規約は当事国に「正義と公正を維持するために必要とみなす行動をとる権利」すなわち自力救済に訴えることを認めている（第15条第7項）。一般国際法との違いは、紛争付託義務と勧告後三カ月間の戦争禁止（第12条第1項）という制約が加えられたことであって、国際連盟は、攻撃戦争も含め戦争を禁止したわけではない。

前述のとおり、自力救済が認められる社会では、自衛は自力救済の下位分類に過ぎない。したがって、制限付きながら自力救済を認める国際連盟規約には「自衛」という言葉は登場しない。

このような国際連盟の戦争容認に対しては、安倍談話がいうように平和を強く願う各国の国民の間で、強い非難が巻き起こった。しかし、戦争による自力救済を禁止するのであれば、それに代わる紛争解決手段が不可欠となる。

そこで、国際世論の圧力を受けた英仏主導下の国際連盟は、「連盟規約の紛争解決制度の不完全さを補い、終局的にはすべての紛争が拘束力ある解決を受ける仕組を作り（略）戦争の全廃を期した」（田岡『国際法Ⅲ』）ジュネーヴ議定書を、1924年の第五回連盟総会で採択する。しかし、この議定書は加盟国に批准されることなく立ち消えとなった。国民の平和願望にもかかわらず、各国政府は戦争を含む自力救済という選択肢を奪われることを拒否したのである。

死産に終わったとはいえ、ジュネーヴ議定書が審議される過程で、そのわずか数年後に締結される不戦条約の解釈に大いに関連する注目すべき発言があった。ギリシャの学者政治家ニコラオス・ポリティスは連盟総会報告書でこう述べる（エミール・ジロー『自衛の理論』）。戦争が禁止されても、「自衛権は当然のこととして尊重される。攻撃された（attaqué）国家は、攻撃行為（actes d'agression）に対して、そのすべての力を使って抵抗する完全な自由を保持する」。

戦争廃絶に向けての不戦条約案

戦争禁止に向けて実効性ある制度を構築しようとしたジュネーヴ議定書を廃案に追いやったものの、各国政治指導層は、戦争廃絶を求める世論に何らかの形で応える必要に迫られていた。そこに登場したのが不戦条約である。

米国の第一次大戦参戦十周年記念の1927年4月6日、フランスのブリアン外相は、米国に対して「恒久友好条約」(Pact of Perpetual Friendship) を提案する。批准手続きを定めた第3条を除けば、実質的には二カ条、戦争に訴えることを非とし国家の政策の手段としての戦争を放棄することを宣言する第1条と、すべての紛争を平和的手段によってのみ解決を図るとする第2条からなる短い条約案であった。

これに対し、米国は二国間に限らず当時の六大列強、すなわち米仏に日英独伊を加えた多国間条約とすることを提唱する。当時、カナダは大英帝国の一員とされていたので、六大国は現在の先進国首脳会議G7のメンバーと事実上全く同じである。世の中、意外に変化しないということだろうか。なお、国際連盟不参加の米国を除く五カ国は、敗戦国ドイツも含め国際連盟常任理事国であった。

最終的には、やはりブリアンがドイツのシュトレーゼマン外相とともに主導したロカルノ条約（1925年）とその関連条約の当事者であるベルギー、ポーランド及びチェコスロバキアが加わり、不戦条約は九カ国を原締結国としてスタートし、後に多数の国が参加した。中国国民政府とソ連も加入している。正式名称は「戦争抛棄《ほうき》に関する条約」である。

二国間条約を提案したフランスも、米仏に日英独伊を加えた当時の六大国を原締約国とする多国間条約を逆提案した米国も、動機は「不純」であった。

人口でも工業力でもドイツの後塵《こうじん》を拝し、戦後欧州軍縮に不熱心だったフランスにとって、孤立主義の米国と欧州を代表するかたちで不戦を誓う友好条約を結ぶことは、国民の平和願望に応えるとともに、第一次大戦後の欧州の盟主としての地位を強固にする「お墨付き」となる。

一方、規約案に散々注文を付けたあげく、国際連盟に参加しなかった米国にとって、フランスの提案を奇貨として、戦争放棄を約束する多国間条約を主導的に推進することは、欧州の権謀術数外交とは無縁の「平和の使徒」という自画像にぴったりであり、当時の大統領カルビン・クーリッジにとって、1928年の大統領選に向け、共和党政権継続のための世論対策としても、申し分なかった。

フランスは、不戦条約を多国間条約にしたいという米国の意向を受け入れたものの、単なるパフォーマンスに過ぎない米仏間条約と異なり、戦争の可能性が否定できない多国間の条約にするにあたって、ロカルノ条約との整合性などに加え、不戦の対象を《war of aggression》に限ることを強く主張する。ここでは《aggression》が「攻撃」というより「侵略」というニュアンスで使われていることはいうまでもない。

この主張には、ほぼ同時進行の前例があった。1927年9月の第8回国際連盟総会は、すべての《war of aggression》を禁止し、国際紛争解決のためにあらゆる平和的手段を取らねばならないと宣言する決議を、全会一致で採択した。21世紀の日本が毎年国際連合に提出し採択される核廃絶決議同様、実質的効果はゼロであっても、禁止されるべき戦争はいわゆる侵略戦争のみという意識が、当時の国際社会に広がりつつあった。

しかし、フランク・ケロッグ米国務長官は、このフランスの侵略戦争限定論を拒否する。1928年2月27日の交換公文によれば、「このような宣言に、《aggressor》という用語の定義や、国家が戦争を行なうことが正当化される場合を定める例外や条件が伴えば、その効果は著しく弱められ、平和保障としての積極的価値は実質的に破壊されるだろう」。条文に求められるのは理想に相応《ふさわ》しい「純粋さと単純さ」(purity and simplicity)

であって、「技術的見地」ではないとし、「このような条約に採用される厳密な用語法は、合衆国にとってどうでもよい問題（a matter of indifference)」とまで記している。

最終的にフランスが米国の主張を受け入れ、4月13日、米国は各国に不戦条約案を正式に提案する。同日付の米国の交換公文で指摘されているように、条約の根幹を成す第1条と第2条は、当初フランスが恒久友好条約として米国に提案した文案とほとんど同じであり、この米国提案が無修正で各国に承認された。不戦条約は、ブリアンの提唱からわずか一年余りで、1928年8月にパリで各国全権が署名するところまでこぎ着ける。

不戦条約はまず前文で、天皇、米大統領、仏大統領、英国王ら九カ国元首は、「人類の福祉を増進すべき其の厳粛なる責務を深く感銘し其の人民間に現存する平和及友好の関係を永久ならしめんが為国家の政策の手段としての戦争を卒直に抛棄すべき時機の到来せることを確信し」たと高らかに宣言する（定訳原文カタカナをひらがなに改め、濁点を付した)。

本文は三カ条。しかも第3条は批准に関する技術的条項なので、実質はわずか二条からなる短い条約である。

第1条　締約国は国際紛争解決の為戦争に訴ふることを非とし且《かつ》其の相互関係に於《おい》て

国家の政策の手段としての戦争を抛棄することを其の各自の人民の名に於て厳粛に宣言す

第2条　締約国は相互間に起ることあるべき一切の紛争又は紛議は其の性質又は起因の如何を問はず平和的手段に依るの外之が処理又は解決を求めざることを約す

不戦条約が「日本国民は、正義と秩序を基調とする国際平和を誠実に希求し、国権の発動たる戦争と、武力による威嚇又は武力の行使は、国際紛争を解決する手段としては、永久にこれを放棄する」という日本国憲法第9条第1項のモデルであることは明らかであろう。

それにしても、ジュネーヴ議定書を拒否した各国政府が、なぜ不戦条約をいとも簡単に受け入れたのか。それは「議定書と異なり、紛争を平和的に解決する方法に関する規定を含まず、ただ戦争その他の非平和的方法によって紛争を解決することを非とする言葉だけを含んでい」たからである（田岡『国際法上の自衛権』）。

骨抜きにされた条文

米国の強硬な主張で「純粋さと単純さ」を保った本文とは別に、米英主導で条文解釈をめぐる交換公文が取り交わされ、本文は完全に骨抜きにされる。

条約案を提案した直後の1928年4月28日、ケロッグ国務長官は、フランスの懸念を払拭《ふっしょく》する重要な講演を行なう。このときの発言は6月23日の交換公文に引用され、国際法上の留保の性格を与えられた。

不戦条約の米国案には、いかなる意味においても自衛権を制限し、損なうものは存在しない。この権利は各主権国家に固有のものであり、すべての条約に暗に含まれている。すべての国家は（略）攻撃または侵入（attack or invasion）からその領土を守る自由があり、状況が自衛のために戦争に訴えることを必要としているか否かを決定する権限は、個々の国だけにある。（略）条約が自衛の法的概念を定めることは、平和のためにならない。なぜなら、承認された定義に沿うよう事態を作りあげることは、無法者にとって極めて容易だからである。

こうして、自衛権が主権国家固有の権利であり、何が自衛と見なせるのか、またその行使の是非についても自らの判断に任せることが確認され、「侵略」を定義することは、明示的に否定された。

英国のオースチン・チェンバレン外相（のちの首相ネヴィルの異母兄）は5月19日の交換公文で、4月28日のケロッグ講演を引用したうえで、自衛権をさらに拡大解釈する、英国版モンロー主義宣言を行なう。

> 世界には、その繁栄と保全が我が国の平和と安全に特別かつ死活的利害を構成する一定の地域が存在する。帝国政府は従前より、これらの地域への干渉を容認しないことを明らかにすべく努めてきたところである。これらの地域を攻撃（attack）から守ることは、英帝国にとって自衛手段である。英帝国政府はこの点に関して、その行動の自由を阻害することはないという了解のうえで、新条約を受諾する。

この英モンロー主義宣言では、世界のどの地域が「特別かつ死活的利害を構成する」のか明示されなかった。どこがそれに当たるかは、英国自身が決めるということである。チエンバレンは自国だけが「悪者」にならないよう、次のように続ける。

合衆国政府は、他国がそれを無視すれば非友好的行動とみなすと宣言する、類似の利害を持っている。したがって、帝国政府は自らの立場を明確にすることで、合衆国政府の意向と見解を表明するものと確信している。

中南米を対象とする米国の「本家」モンロー主義に対して、お互い様というわけである。英国は、さらに7月18日の交換公文でも、再度、英モンロー主義に言及し、それが認められたという了解のうえで不戦条約を受諾すると明記する念の入れようであった。米国は不戦条約の交換公文で自国のモンロー主義に一切言及しなかった一方、米モンロー主義にわざわざ言及した英モンロー主義宣言を、あえて否定もしなかった。不戦条約は、上記の英米の交換公文を国際法上有効な留保と了解したうえで、調印・批准され成立した。

こうして、「理想主義」の米国と現実主義の英国の連携プレーにより、当時、柳沢慎之助《やなぎさわしんのすけ》が指摘したように、「アングロサクソン二大強国は不戦条約に拘《かか》はらず事実上地球の四分の三に対して『利害関係ある地方の防衛』てふ名義の下に、勝手に武力的干渉を行ひ得る結果とな」った（『外交時報』1928年9月1日号）。

不戦条約とは、極論すれば、戦間期で最も国際関係が安定していた状況の下、英米本位の現状維持を承認したうえでの、世論向けパフォーマンスに過ぎなかったのである。

第12章　「不戦条約」をめぐる列強のご都合主義

この条約に一体どうやって
法的に反することができるのか
エドウィン・ボーチャード

「モンロー主義」に固執する米国

表向きの美辞麗句とは裏腹に、国家のエゴがぶつかり合う苛烈《かれつ》な国際政治の現実。そこに登場したのが、1928年に調印され、翌年に日本を最後に原締約国すべてが批准して発効した不戦条約であった。

条約の「純粋さと単純さ」を高唱し、戦争違法化という高邁な理想に「技術的見地」は相応しくないと強く主張した米国のケロッグ国務長官は、交換公文においても、一切自国のモンロー主義に触れなかった。

とはいえ、米国が不戦条約の条文はもちろん、交換公文でもモンロー主義に言及しなかったのは、この条約がなんら拘束力をもたない、世論向けの政治的パフォーマンスであると割り切っていたからである。

国益に直結する外交交渉の場合、米国がいかに国是であるモンロー主義を条約に明文化することに拘《こだわ》ったか、二つの例で示したい。

まず、「平和の維持を確保するための、仲裁裁判条約のような国際協定あるいはモンロー主義のような一定地域に関する了解の効力に、本規約は如何なる影響も与えない」とする国際連盟規約第21条である。

米国は、不完全ながら戦争を制限し国際紛争を平和的に解決することを規定した連盟規約によって、自国の中南米での覇権が制約されないよう、一国の政策に過ぎないモンロー主義を、連盟の規約条文に明記させたのだ。にもかかわらず、軍事・外交上のフリーハンドをわずかでも奪われることを嫌い、米国は連盟に参加せず、結局、条文だけが残った。

さらに、各国との仲裁裁判条約でも、米国はモンロー主義承認を要求する。不戦条約と同時期に交渉が進んでいたフランスとの仲裁裁判条約交渉では、不戦条約交渉でフランスの「技術的見地」に基づく修正案を頑《かたく》なに拒否したケロッグは、打って変わった態度を取る。連盟規約同様、モンロー主義の維持に関する争いを除外することを条文に明記したうえで、米国は条約を締結した。

二国間の争いが仲裁裁判条約の対象案件とされた場合、当事国の意に沿わない拘束力を持った仲裁が行なわれる可能性があるため、米国は不戦条約と異なり、交渉に「真剣」に取り組んだわけである。

国際紛争を平和的に解決するうえで、一国の判断に左右される「主観的留保」を付することは好ましくない。実際、第一次大戦後は「どうでも解釈できる留保をつけて義務的仲裁裁判をほとんど無意義ならしめようとする弊は少なくなった」（田岡『国際法Ⅲ』）。しかし、米国は絵に描いたような主観的留保であるモンロー主義に固執し続けたのである。

条約をめぐる米国の公定解釈

米国の参加を熱望する英仏の大幅譲歩にもかかわらず、ウィルソン大統領はライフワークである国際連盟への加盟を果たせなかった。孤立主義の牙城《がじょう》である米上院の承認が得られなかったのである。第二次大戦後と違い、第一次大戦後の米国では、参戦したことへの懐疑が拡がり、世論は内向きになっていた。

国際連盟への加盟を阻止した上院は、しかしながら、クーリッジ共和党政権の下、ケロッグ国務長官が全権として1928年8月に調印した「不戦条約」に超党派で賛成し、はやくも1929年1月に批准と相成った。

なぜ、自国の軍事・外交政策を条約で制約されることを嫌う米国、とりわけその傾向が著しい上院が、戦争を違法化するという「革命的」条約をすんなりと受け入れたのか。それは、1928年12月に行なわれた上院外交委員会の審議で、ケロッグがうるさ型の上院議員の疑念を払拭する、条約を完全に骨抜きにする政府解釈を表明したからである。

ケロッグは、4月に行なった演説と、それを引用した6月の交換公文の内容を、外交委員会で再度確認する。自衛権は主権国家に固有の権利であり、何が自衛に当たるかの判断は各国に一任されるという条約解釈である。この解釈は交換公文を通じて各締約国を拘束する留保の性格を持つ。

加えてケロッグは、上院議員の質問に答えるかたちで、交換公文では触れなかった米国政府の条約解釈を明らかにする。

まず、ケロッグは自衛の対象は米国本土に限定されないことを明言した。ケロッグは独立国家であるパナマを例に挙げ、モンロー主義に言及する。ただし、モンロー主義は「自己保護」(self-protection)の権利に基づく、他国の容喙《ようかい》を許さない米国の国策であり、あえて条約や交換公文で明記しなくとも、条約を解釈する際の当然の前提であるとした。

ケロッグはさらに、米国が何を自衛の対象とみなすかについて、重要な見解を明らかにする。「自衛は、すでに述べたとおり、合衆国本土への攻撃に対する単なる防御に限定されない。自衛は我々のすべての領土（possessions）、すべての権利（rights）、合衆国に対する脅威（danger）阻止のための方策を取る権利に及ぶ」。

結局、用語が「自力救済」から「自衛」に変わっただけで、不戦条約は、違法行為に対する自力救済としての攻撃戦争を容認する、これまでの一般国際慣習法の条約化であったということになる。

外交委員会のメンバーは、ケロッグ長官の答弁に満足したものの、念押しとして、上院での採決に当たり、モンロー主義を明記した委員会としての公式見解を報告書として提出する。そこには、「条約によって認められた自衛権の下、我が国家防衛体制の一角をなすモンロー主義を維持する権利が必然的に含まれる」と記されている。

この上院外交委員会での審議と報告書は、交換公文と違って、有効な留保とは認められず、単に米国の一方的主張に過ぎないというのが、当時も今も国際法学者の通説である。とはいえ、米国政府の公定解釈であることには違いない。第一次大戦後、大英帝国も一目置く存在となった米国の条約解釈は、国際政治上、極めて重大な意味を持つ。

逆から見れば、他国が同様の解釈の下に行動しても、米国は不戦条約違反だとして異を唱えることはできないはずである。米国は自らの見解が条約の「正しい」解釈だと主張しているのだから。実際、日本政府は米国の解釈を前提に、条約を締結した。この三年後に始まる満州での行動は、その延長線上である。

当然ながら、米国もこの解釈に沿って、対外的に行動していた。むしろ、自らの行動を正当化するために、不戦条約を事実上、無効化する解釈を行なったともいえる。

なぜ米国の武力干渉は許されるのか

いったい当時の米国は中南米においてどのように振る舞っていたのか。

まだ米国が欧州列強に比べ弱体であった1823年、ジェームズ・モンロー大統領は議会で、欧州諸国による政治・軍事的干渉から西半球の政治的独立を守るため、相互不干渉を謳《うた》ったモンロー宣言を行なう。ところが、その後、米国の強大化とともに、モンロー主義は欧州からの干渉を防ぐというより、西半球の覇者としての米国が中南米諸国に干渉する「口実」に変容した。

第一次大戦後も、米国は「バナナ戦争」(Banana Wars) と呼ばれる中米諸国への武力介入を繰り返す。戦間期の米国が、ハイチを最後に中米から完全に米軍部隊を引き上げたのは1934年8月。満州事変勃発の三年後、日本が国際連盟に脱退を通告してから一年半が経っていた。なお、アフガン・イラク戦争捕虜に対する拷問が行なわれたグアンタナモ米軍基地は、キューバ国内に設定された米国の無期限租借地にある。

不戦条約締結を推進したクーリッジ大統領は、1927年4月、報道関係者との夕食会で、米国の対外政策について、まず、「我が国政府は、外国における米国民の適法な権利を支援することについて、概して積極的過ぎるというより、むしろ控えめ過ぎた」と自己分析する。

そのうえで、他国のその国民に関する内政上の問題に干渉するいかなる権利もないことは当然としつつ、「我が国政府は、その所在地がどこであろうと、米国民及びその財産に関する一定の権利義務を有している」。そして、正義の基本法は普遍的なので、米国民がどこへ行こうと、米国政府の義務もそれに伴う必要があると主張した。

具体例のひとつとして挙げられたのが、米軍による占領が1933年まで続いたニカラグアのケースである。クーリッジによれば、経緯は以下のとおりである。

ニカラグア政府の「真摯《しんし》な要請」（earnest solicitation）に基づき、1912年から十年以上にわたり米軍が駐留していたときは、平和で秩序があり（orderly）繁栄していたのに、米軍が撤退した途端、政治的混乱が生じ、事態は悪化する一方であった。そのため、

1927年に再度、米国民とその財産を守るため、自らの決断で米軍を派遣した。その結果、米軍が派遣されなかった場合に比べ、人的物的損害ははるかに軽く済んだ。「我々がニカラグアに戦争を仕掛けたわけではないのは、街頭の警官が通行人に戦争を仕掛けていないのと同じである」。

ニカラグアに限らず、米国の南には、豊富な資源があり、秩序ある政府の下であれば、人々に近代文明の成果をもたらす発展が可能な地域が存在する。クーリッジは、その地域の秩序を維持し、米国民の生命財産を保護しようとする自らの試みへの批判を心外とする。いかに国際法に則《のっと》っていようと、「帝国主義的動機に基づいて行動しているという批判を我々は覚悟する必要がある。国際関係において、我々は自らに高い基準の正義と公正を課さねばならない。（略）我々の諸国民への態度、それは友好と善意である」。

文明の美名の下に帝国主義的武力干渉を行なうのは、米国のみならず英国の「お家芸」でもあった。

1927年1月、混乱する中国での自国権益を守るため、英国は上海《シャンハイ》に陸上部隊と軍艦を派遣する。国際連盟未加入の米国と異なり、英国は連盟の盟主であり、本来であれば、規約に従って、まず連盟を通じた平和的解決を求めねばならないはずである。

ところが、チェンバレン英外相は、1927年2月、連盟事務総長に、以下のような通告を行なう。

帝国政府は、中国における難局を解決するに当たり、現時点で連盟の助力を求め得る如何なる状況にもないことを誠に遺憾（deeply regret）とする。

連盟の関与に対するあからさまな拒絶表示である。しかし、連盟は傍観するのみであった。

チェンバレンは決して、チャーチルのような伝統的帝国主義者ではない。むしろ、タカ派からはその「弱腰」を批判されていた。この当時の「常識」を反映したに過ぎないチェンバレン通告について、ロンドン大学教授ハーバート・スミスが、1932年に英外交文書を編纂《へんさん》し、それを解説した『英国と諸国民の法』で、次のように述べている。

規約前文にあるように「組織立った国民（organized peoples）間の交渉」を律するのが国際連盟であり、対象となるのは「組織立った」国家でなければならない。そもそも国際法は秩序ある国家間の関係にのみ適用可能であり、連盟加盟の条件もそれに沿ったものとなっている。この条件を満たしていないにもかかわらず、原加盟国扱いを受けて中国が連盟に加入していることは、異例（anomalous）とみなすべきだ、と。

当時、国際世論形成に大きな力を持ち、バランスのとれた主張で知られた英国の『タイムズ』は、「不戦条約」の価値は法的というより、主に「道徳的かつ情緒的」(moral and sentimental) としたうえで、以下のような論評を行なっている(1928年6月26日付)。

新条約は(略)幸いなことに今日の先進国間に存在する心理状態を記し確認するとともに恒久化するだろう。実際、極めて限られた数とはいえ、枢要な国家間では、戦争は利己的な外交目的を達するための通常かつ正当な (normal and legitimate) 手段とはみなされなくなった。世界の多くの地域では、この手本がまだ十分に学ばれていない。とりわけ英帝国の広がりは、この国のステーツマンシップにケロッグの方式 [不戦条約] とは率直に言って無縁な人種との対応を求めている。(略) 確かに言えることは、文明国 (civilized nation) 間の組織的戦争など想像もできない地域が、徐々にではあっても、着実に広がりつつあることである。

要するに、国際世論を主導する米英指導層の理解によれば、戦争廃止の対象は文明国間の紛争に限定され、それ以外の地域での武力行使は考慮の外であった。そして、日本は非白人国で唯一、文明国であるのみならず、列強の一員と認められ、連盟常任理事国の一角を占《し》めていた。一方、中国は「秩序ある」「組織立った」国家、すなわち文明国とはみなされていなかったのである。

米国法学界の不戦条約解釈

不戦条約による戦争違法化を完全に骨抜きにする解釈は、各国とくに米英為政者の勝手な解釈と切って捨てるわけにはいかない。

1929年4月に開かれた米国際法学会年次大会で、会長である前国務長官チャールズ・ヒューズが座長を務め、米国の名だたる国際法学者が討論者として参加した、不戦条約に関するセッションが行なわれた。

基調講演を行なったのは、当時ペンシルバニア大教授だったローランド・モリス元駐日大使である。モリスは、国際法学者の仕事は不戦条約の政治的意味合いについてあれこれ議論することではなく、条約の法的意味や効果を、厳密に国際法の観点から検討することだと述べた後、条約に関する以下のような理解を開陳する。

まず、モリスは、交換公文だけでなく米上院報告書も条約の一部を構成することに「如何なる合理的疑いもない」と断言する。それに基づけば、何が自衛に当たるかに関して無制限の裁量が当事国に認められている以上、公的解釈（formal interpretations）として、条約本文が課する法的義務は「無効化」（nullify）されている。すべての戦争を放棄するという条約の道徳的義務に無頓着であってはならないけれども、不戦条約は「法を形成する条約」（law-making treaty）ではなく、主権国家による自力救済の容認という、国際法上確立した原則にいかなる意味でも影響を与えない。

続いて、討論者のジョゼフ・チェンバレン教授（コロンビア大）は「モリス教授への私の賛意と感謝を記録に残してほしい」、ジョン・ラタネ教授（ジョンズ・ホプキンス大）は「モリス氏の主旨に全く賛成」という言葉とともに、それぞれ不戦条約が法的に無効であることを前提に、議論を行なっている。また、フレデリック・マッケニー弁護士（学会理事）は、世間の注目が集まる戦争放棄を謳った第1条ではなく、国際紛争の平和的解決を求める第2条に、もっと注意を向けるべきだとしたものの、条約に関する法的性格については、モリスの解釈に付け加えることはないとした。

この後の参加者との質疑でも、不戦条約が法的に無効であることを当然視した議論が続く。ここでの不戦条約無効論が、政府寄りの「御用学者」の主張という批判は当たらない。戦争放棄の理想を裏切る国際政治の実態を厳しく批判していたエドウィン・ボーチャード教授（イェール大）も、質疑のなかで、「この条約は法的効果の点では、要するにゼロ（nothing）」と認めているのだ。

政策論より、違憲論争に明け暮れる日本

こうした米国の政界及び学界主流の「不戦条約」無効論を考慮すると、戦間期日本の代表的国際法学者であった信夫淳平《しのぶじゅんぺい》による日本の条約交渉方針への懸念は、取り越し苦労に思えた。

日本の田中義一《たなかぎいち》政友会政権は、条約締結に当たり、「満蒙の如き我国にとって重大なる特殊権益に対して我自衛権のおよぶことはその接壌地帯なること並にしばく政府が中外に宣明せる外交的事実から見て当然のことで」、英国とは異なり「留保の必要はない」という方針で臨んでいた（『朝日新聞』1929年6月17日付朝刊）。

それに対し、信夫は当時、「満蒙に於ける特殊権益に就て（略）その適用上に疑義の多き国家自衛権といふことを当てにするよりも、やはり英国のそれに倣うて一種の留保を明確に為して置いた方が善くはなかったであるまいか」と、政府の判断を批判した（『外交時報』1929年7月15日号）。

満州事変後の米国の対応を知っている今日の目で見れば、信夫の懸念は正鵠《せいこく》を得ていた。

しかし、当時の日本では、条約第1条の「人民の名に於て」という表現が人民主権を意味するものであり、国体に反し違憲だとして、野党民政党と条約の審査権を持つ枢密院が田中首相兼外相を激しく攻撃したことから、不戦条約批准問題は倒閣運動と化し、まともな議論は全く行なわれない状況となっていた。

最終的に、「人民の名に於て」の部分は自国には適用されないという「留保的宣言」を行なったうえで、日本は不戦条約を批准したものの、英米法の第一人者で東大法学部教授だった高柳賢三《たかやなぎけんぞう》が指摘するように、「内政上の経緯を知らない外国に対しては、我国は内心は不戦条約に反対なので、従来喧伝《けんでん》された様に、軍国主義意図を包蔵するのではないかの誤解を惹起し（略）又締結せらるべき不戦条約が、例へば、満州に於る我が特殊権益に就て如何に作用すべきかと云ふが如き不戦条約から生ずる実質問題に就ての重要な考察が懈《おこた》られ」ることとなった（『改造』1929年6月号）。

野党が政策の内容を議論せず違憲論を振りかざす、日本政治の「連続性」。最重要同盟国である米国との軍事的協力関係を否定するかのような前政権党議員の主張まで飛び出し、違憲神学論争に終始した安倍政権時の安保関連法審議との類似性には嘆息せざるを得ない。

満州事変後の日本に降りかかる運命

米国指導層の不戦条約無効論は、正確には法的無効論であり、その道徳的・政治的有効性が否定されていたわけではない。ラタネが指摘しているように、条約が「非常に大きなプロパガンダ価値を持っている」ことは共通認識となっていた。国際法学会大会の基調講演でモリスが述べたように、「条約が法的に弱いからこそ、かえって道徳的には強いということにもなり得る」。

学会での討議を会長であるヒューズ前国務長官は、こう総括する。紛争を平和的に解決することが、全国民の信義と名誉を伴う国家的義務と見なされるようになったことは、目覚ましい進歩であり、個人的には、それが法的か道徳的かなどどうでもよいことだと思っている、と。

そもそも、ケロッグ国務長官自身、米国の交換公文で引用された演説で、自衛か否かの判断は当事国に全面的に任されているとしつつ、こう述べている。「もし、立派な言い分があれば、その国の行動を世界は賞賛するだろうし、そうでなければ、世界は非難するだろう」。

国際世論というものが、米英指導層の判断に大きく左右されることを考えれば、法的に無効な条約は、米英には極めて都合のよい政治的武器となる。法的拘束力がない以上、自らの武力行使は常に正当化できる一方、気に食わない国の武力行使は、国際世論を誘導して、法的にはともかく道徳的非難に値するとして糾弾し、その国を国際社会から孤立させ、追い詰めることができる。

それが、満州事変以降の日本に降りかかった運命であった。

不戦条約は、法的には無効

米国での「現実的」な不戦条約法的無効・道徳的有効論に対して、国際連盟では条約の「厳格」な解釈が横行していた。

不戦条約成立後、国際連盟は条約との整合性を検討する法律家委員会を設置する。そこで我が国を代表したのが連盟日本事務局次長の伊藤述史《いとうのぶふみ》である。伊藤はフランス人を妻に持ち、欧語に堪能なばかりでなく、国際法にも通暁《つうぎょう》した外務省きっての俊才であった。

伊藤は、仲裁裁判等の判決が下ったにもかかわらず、当事国の一方が履行しなかった場合、他方が履行を武力で強制することを不戦条約は容認していると主張した。なお、連盟規約は、判決履行のための自力救済（武力行使を含む）を認めている。

ところが、ベルギーのアンリ・ロランは、1931年9月、満州事変勃発と同時期に開かれていた連盟総会での報告で、仲裁判決履行のために戦争に訴えることは「自衛概念とは明らかに無縁（évidemment étrangère）」として、伊藤の主張を否定した。フランスの国際法学者エミール・ジローは当時、「ロラン氏の主張は十分に大きな影響力を持っているように思える」と述べている（『自衛の理論』）。

不戦条約の条文と交換公文が、容認される自衛戦争を極めて限定的に捉えているという点では、我が国屈指の国際法学者、田岡良一も同様であった（『法学』第1巻第2号、『国際法Ⅲ』、ここでの引用は後者）。

田岡は、不戦条約が自衛戦争を容認していることは、留保の性格を持つ交換公文から明らかであるとする。ただし、ここで留保された「自衛」は、一般国際法上の武力行使を含む自力救済と同一視することはできず、武力攻撃への防御という本来の狭い意味しかないとする。

たとえば、米国の交換公文には、武力行使が自衛か否かは当事国の判断に任せるとあるものの、その前段には各国は「攻撃または侵入からその領土を守る自由」という限定が付されている。要するに、交換公文が締約国に一任しているのは、他国による自国領土攻撃への反撃が自衛か否かの判断であって、他国を攻撃する判断ではない。また、英国の留保すなわち英モンロー主義宣言も、他国の干渉を許さない「地域を攻撃から守ること」が自衛とされている。

こうして、不戦条約が容認するのは狭い意味での自衛戦争のみと解釈したうえで、田岡は「本条約は実行不能のことを内容とする契約として、その拘束力を否定する他ない」と結論付ける。

なぜなら、拘束力ある平和的解決手段を確立することなしに、自力救済としての（自衛以外の）武力行使を禁じることは、次のことを意味するからだ。

すなわち、武力攻撃以外の他国の違法行為によっていかに自国の利益が侵害され、かつ他国が平和的解決を拒否しても、「紛争が未解決のままに放置されることを承認し、これを忍ぶことを約束」することを。したがって、この「人情の自然に反する」条約の無効性は、「成立のはじめから内在する本質的なものであった」。

結局、そこに至る推論の過程は異なるものの、田岡も米国の国際法学者たちも、「不戦条約」が法的に無効であるという結論では一致している。

こうした状況の下、条約批准から二年後の1931年9月に、満州事変が勃発する。

第13章　満州事変と国際連盟

満州の状況が難しく例外的であることに疑いはない

ロバート・セシル

満州事変の「意外なる大波紋」

満州事変によって結果的に脱退することになったものの、後述するイタリアやソ連とは異なり、日本は決して国際連盟から、侵略者という烙印《らくいん》を押されたわけではない。1933年2月の連盟総会で、日本を除き全会一致（タイは棄権）で可決された勧告は、事前に予想していたよりも日本にとって厳しい内容だったとはいえ、日本の主張を全面的に否定するものではなく、日本を侵略者と認定することを注意深く避けている。当然ながら、制裁や除名と違って、勧告に強制力はない。

当時、列強と認められた文明国には、自らの勢力圏での武力行使を含む広い範囲の行動の自由が、国際的に容認されていた。不戦条約調印に際しても、英国は自らの勢力圏での行動の自由を、交換公文のかたちで正式に留保し、米国はケロッグ国務長官が上院での批准審議で、モンロー主義が条約解釈の前提であると明言している。日本も、満州での行動の自由はあえて留保せずとも、不戦条約が認める自衛の範囲に当然含まれるとしていた。実際、米国は満州事変と同じ時期、中南米諸国に武力介入を繰り返していたのである。

にもかかわらず、満州事変が「意外なる大波紋を描いて近代外交史上稀に見る重大なる国際問題と化し」（古垣鉄郎《ふるかきてつろう》『ジュネーヴ特急』）、とくに米国で批判の声が高まったことに、多くの日本人は反発した。

日本の連盟脱退は、熟慮の末というよりも、その場の勢いで行動した側面が強かった。日本からみれば「不公平」な喧嘩《けんか》両成敗の勧告によって、文明国であり列強の一員というプライドが傷つけられたことに、我慢ならなかったのである。

ただし、連盟規約第15条第4項に基づく正式の勧告が出され、それを受けて脱退するという重大な事態にまで発展した背景には、中国の巧みな宣伝、それとは対照的な日本の外交下手とともに、当時の日本にとって不運としかいいようがない極東情勢の思わぬ展開があった。

一方、国際連盟を主導する英仏にとっても、日本の脱退は大きな外交的敗北を意味した。中国に大した権益を持たないフランスは日本に宥和《ゆうわ》的であったし、英国も、厳しい対日世論のなか、何とか日本との妥協点を見出そうとしていた。自国出身のエリック・ドラモンド連盟事務総長を中心に、日本の面目を保つべく、最後まで総会での投票による第15条第4項に基づく勧告採択を回避し、第3項による当事者間の和解（和協）を成立させようとする。しかし、第一次大戦で疲弊した大英帝国に昔日の威光はなく、勧告は採択され、かつての同盟国日本は連盟を去っていった。

国際連盟を除名された侵略国ソ連

日本が国際連盟から脱退する原因となった満州事変の正当性、あるいは侵略性をめぐる論説は、枚挙に暇《いとま》がない。しかしながら、満州事変の性格をより正確に理解するためには、国際連盟が侵略と認定した他の事例との比較が欠かせない。

そこで、日本の連盟脱退への過程を素描する前に、連盟が加盟国を公式に侵略者と断定したただ二つの事例、1935年のイタリア制裁と、1939年のソ連除名を取り上げる。

まず、侵略的性格が明々白々な、ソ連除名のケースである。

日本脱退後に国際連盟に加わり、常任理事国となったソ連が除名される契機となったのは、１９３９年11月30日に始まったソ連赤軍のフィンランド攻撃であった。中国とは異なり、フィンランドは自他ともに認める、連盟規約にいう「組織立った国民」(organized people) つまり文明国である。当時、英米が当然のごとく行なっていた、「非（半）文明国」に居住する自国民の生命財産を守るため、文明国が「警察（警備）行動」として軍隊を出動させるのとはわけが違った。

フィンランドのような小国が、ソ連という世界最大の陸軍国を侵略する意図などあるはずがない。にもかかわらず、フィンランドが同国内でのソ連軍事基地設置と国境再画定という名の割譲要求を拒絶したため、ソ連は国交を断絶し、大規模な軍事侵攻作戦を開始した。

国際連盟に限らず、今も昔も国際機関の物事への対処は緩慢である。ところが、ソ連のフィンランド攻撃に限って、連盟は異例の速さで対応した。

フィンランド侵略（aggression）によって、ソ連は二国間条約のみならず連盟規約と不戦条約に違反したと明記されたフィンランド支援・ソ連非難決議案が、攻撃からわずか二週間後の12月14日に総会で可決され、同日、除名権限のある理事会に送付される。理事会で採決にかけられた決議案にはこうある（以下、本章及び次章の国際連盟での発言、提案は、原則として『国際連盟オフィシャル・ジャーナル』に拠る)。

理事会は(略)総会で採択された決議を受理し、1.総会によるフィンランドに対するソ連の行動への非難(condemnation)を支持する。さらに、2.(略)連盟規約第16条第4項により、ソ連はその行動で自らを国際連盟の埒外《らちがい》に置いたと認める。その結果、ソ連は連盟の一員ではなくなる。

規約により、除名には当事国を除く理事国すべての賛成が必要であったところ、数カ国が棄権したものの、反対はなく、決議は可決され、ソ連は連盟から除名された。棄権は投票としてカウントされないので、決議には影響しない。国際連盟は文字どおり、ソ連を侵略者として断罪したのである。

英仏は、この年(1939年)9月1日に始まったドイツのポーランド攻撃に対し、対独宣戦布告で応じ、ドイツと戦争状態に入った。ところが、9月17日にソ連軍がドイツとの密約に従い、東側からポーランドに攻め入ったにもかかわらず、英仏はソ連をなんとか自らの反独陣営に引き入れるべく、ソ連を強く批判せず、宥和的対応に終始し、ポーランド東部がソ連に併合されるのを黙認した(西部はドイツが併合)。

しかし、いかに実利重視の冷酷な現実外交を旨とする英仏であっても、さすがにフィンランド侵略は座視できなかった。英代表ラブ・バトラーは、ソ連除名決議に際し、「ここにいる我々を結びつけている根本原則を、我々の世代において実現させることは我々の義務である」と格調高く宣言する。結局、実施されなかったものの、英仏はソ連のバクー油田空爆まで計画していたのである（ギュンター・デシュナー『バクー爆撃』）。

小国フィンランドは、圧倒的戦力差にもかかわらず、勇猛果敢な抵抗を繰り広げ、赤軍に予想外の大苦戦を強いる。最終的に防衛線を突破され、翌年（１９４０年）３月の休戦条約によって、フィンランドは領土割譲や基地提供を余儀なくされたものの、戦わずに手を上げたバルト三国とは異なり、ソ連への併合を免れ、独立を維持した。

国際連盟に制裁された侵略国イタリア

イタリアとエチオピアの紛争は、１９３４年12月、伊領ソマリランドとの国境に近いエチオピアのワルワルでの両軍の小競り合いを直接の発端として始まる。

英仏は当初、エチオピアというアフリカの「非文明国」のために、イタリアと対立することは避けようとしていた。今日の「常識」からは意外なことに、当時、第一次大戦の戦勝国として、イタリアは英仏と友好関係にあり、ヒトラー率いるナチス・ドイツに対抗する側にいた。

そのため、英仏はイタリアの機嫌を損ねぬよう、強固な平和願望に支えられた国内の反伊世論とのバランスを取りつつ、イタリアによる事実上のエチオピア保護国化を容認する仲介案で、なんとか紛争を終結させようとする。

しかし、英仏の足元を見たイタリアは強気の姿勢を崩さず、英仏提案を一蹴《いっしゅう》する。英仏に遅れてアフリカでの植民地獲得に乗り出したイタリアにとって、独立国エチオピアは最後に残った「獲物」であり、イタリアの独裁者ムッソリーニの念頭には、完全併合しかなかったのである。

その後も、英仏はなんとか事態を丸く収めようとしたものの、ついにムッソリーニの強硬姿勢に堪忍袋の緒が切れる。連盟理事会は規約第12条第1項に規定された「国交断絶に至るおそれのある紛争が発生」したと認定し、エチオピアが求めていた第15条による紛争処理に動く。第15条の理事会決議には当事国の投票は影響しない。つまり、常任理事国であっても、イタリアは採決から除外されるのである。

その結果、1935年10月5日に、イタリアを除く全理事国からなる委員会報告に基づき、英仏等六理事国からなる委員会が、規約第15条第4項に規定された勧告案を作成することが決定される。二日後の、10月7日には、「ひとまず（For the time being）、連盟規約に反する行為を直《ただ》ちに終結すべし」とする勧告案が、イタリア以外の全理事国の賛成で可決される。

さらに同日、10月3日のイタリア軍によるエチオピア総攻撃開始により、戦争に訴えることを制限した規約第12条にイタリアが違反したという委員会報告が採決にかけられ、やはりイタリアを除く全理事国の賛成で可決された。直後に開かれた連盟総会で、オーストリアとハンガリーを除く五十カ国の賛成によって、委員会報告が可決され、規約第16条に基づく対イタリア制裁が決定された。

国際連盟史上、初めて侵略国と認定され、制裁の対象となったイタリアは、百戦錬磨の欧州列強らしく、さすがと言うしかない粘り腰を見せる。後述するように、一種の喧嘩両成敗ともいえる勧告を受けただけで連盟から脱退した「繊細」な日本と違い、イタリアは制裁中も、連盟にとどまり続ける。

本来、第16条に基づく経済制裁には、規約上、全加盟国が参加を義務付けられ、実効性を担保するため武力を行使することまで求められていた。にもかかわらず、運用上、制裁参加は任意とされ、実際、オーストリアやスイスといった隣国が参加せず、制裁もイタリアからの輸入が禁止されただけで、イタリアへの輸出や人的往来は、原則、自由とされた。

その結果、制裁はイタリアの戦争遂行に大きな影響を与えることなく、イタリア軍は1936年5月にエチオピアの首都アジスアベバに入城、ハイレ・セラシエ皇帝は英国に亡命し、独立国家としてのエチオピアは、事実上、消滅した。

ドイツとの対抗上、イタリアを自陣営に引き寄せたい英仏は、イタリアのエチオピア征服を非難するどころか、もはやイタリア制裁の意味がなくなったとして、連盟制裁解除に動く。

結局、エチオピアは英仏に見殺しにされ、7月4日の総会では、制裁終結勧告決議が可決される。反対したのはエチオピアだけだった。連盟制裁調整委員会は勧告を受けて、制裁撤廃期日を7月15日と決定した。ただし、連盟規約に加え、武力による領土問題解決を否認した1932年8月3日の米大陸宣言に言及することで、連盟はエチオピア併合を公式には認めないことを示唆した。

英仏はイタリアのエチオピア併合を公式には承認しなかったものの、12月にエチオピア公使館を領事館へ格下げし、既成事実を追認した。さらに、年が明けた1936年1月2日、ガレアッツォ・チアノ伊外相とドラモンド英駐伊大使は、地中海での相互尊重を謳った共同宣言に調印する。ちなみに、チアノはムッソリーニの女婿ながら親英・反独派で、第二次大戦中に義父の命令によって処刑された。一方、ドラモンドは国際連盟創設以来十数年にわたって事務総長を務め、満州事変時には、日本との妥協を最後まで模索した老練な外交官であった。

国際政治に初《うぶ》な日本人には到底まねできない、したたかな外交を繰り広げたイタリアは、結局、英仏とドイツを天秤《てんびん》にかけ、得られるものはすべて手に入れた後、1937年12月に国際連盟を脱退した。

突如参入する「オブザーバー」米国

1931年9月18日の柳条湖《りゅうじょうこ》事件に端を発した満州事変は、ちょうど年一回開催される国際連盟総会と重なった。しかも9月14日に中国が非常任理事国に選任されたこともあって、連盟事務局東京支局主任の青木節一《あおきせついち》がいうように、「世界の注意を喚起し（略）理事会及び（略）総会に於て最も重大なる事件として審議された」（『国際連盟年鑑（昭和七年版）』、以下『連盟年鑑』）。

ただし、中国の施肇基《しじょうき》代表による強硬な対日非難にもかかわらず、連盟理事会はあくまで規約第11条に基づき、日中両国の和解を促すにとどめた。その中心となったのがロバート・セシル英代表である。満州事変に限らず、連盟はこれまでも、第11条に基づく当事者間の話し合いに重点を置いた国際紛争解決を原則としており、最終的には制裁に至る可能性もある第15条の適用を避けていた。

その結果、9月30日に日中両国を含む全会一致で、両国に通常の関係回復を促す理事会決議が採択された。中国には責任を持って鉄道付属地外にいる日本人の生命財産を保護することを求め、日本には、保護が確保され次第、軍隊を鉄道付属地（条約上、軍隊駐留が認められていた）に引き揚げることを求めるものであった。後者については「できる限り速やかに」（as speedily as may be）とあるのみで、期限は付されなかった。

決議では、新事態が生じないかぎり、理事会議長は10月14日に予定された次回会合をキャンセルできるという条項が加えられ、事実上、満州事変は日本に不利にならないかたちで、一件落着したかに見えた。ところがこの後、事態は急変する。

10月8日、石原莞爾《いしわらかんじ》中佐主導で、関東軍は張学良《ちようがくりよう》軍の集結地となっていた錦州《きんしゆう》に爆撃を行なう。爆撃といっても、10機程度の貧弱な装備の軍用機による示威活動の側面が強く、爆弾投下量は二トン弱で、米軍による東京大空襲の0・1％程度であった。

しかし、おそらく石原が「軽い」気持ちで行なった錦州爆撃は、中国側の効果的な宣伝もあって、欧米で大きく取り上げられ、対日国際世論は悪化する。9月30日決議にあった新事態の発生ということで、中国の要請によって連盟理事会が予定より一日早く10月13日から開催される。

不戦条約生みの親であるフランス外相ブリアンが、この理事会から議長となり、事変直後から日本を牽制する動きを見せていた米国を、理事会にオブザーバーとして招くことを提案する。連盟非加盟国にもかかわらず、「不戦条約」を主唱した締結国であることが招請の理由とされ、米国も積極的だった。

国際連盟の議事は明文の規定がないかぎり、決議には全会一致が必要である。ところが、日本の反対にもかかわらず、米国招請提案は過半数で足りる「手続」問題（規約第5条第2項）として、強引に可決された。

ブリアンが1932年3月に亡くなった直後、彼を継いで連盟仏代表となったジョゼフ・ポール＝ボンクールはこう述べている（『ニューヨーク・タイムズ』1932年4月10日付）。

パリ［不戦］条約は（略）ブリアンにとって、何にも増して、米国が平和の組織体制に参加するよう促す手段であった。平和の宣言や戦争の放棄というより、米国の署名にこそパリ条約の価値があるのだ。

ブリアンの念頭にあったのは、英仏主導の第一次大戦後の欧州秩序維持に、米国を「用心棒」として利用することであった。英国にも異存あるはずがない。米国を理事会オブザーバーとして連盟に引っ張り出す材料として、満州事変は、英仏に体よく利用されたのである。

日本外交の宿痾《しゅくあ》

1931年10月の国際連盟理事会では、英仏よりも日本に批判的とされた米国のオブザーバー招請が決定しただけではない。9月30日決議と異なり、日本軍の鉄道付属地への撤兵に期限をつけた決議が、理事会で10月24日に採決にかけられることになったのだ。ただし、この次回理事会開催（予定では11月16日）までに日本軍に撤兵することを求める決議は、日本一国の反対で否決される。満州事変は連盟規約第11条で処理されていたので、決議には日本を含む全理事国の賛成が必要だったのである。

とはいえ、日本の反対により可決される可能性がないにもかかわらず、理事会にあえて正式にこの決議が提出されたことで、「徳義上精神上の強制が日本に与へられたことは否むことが出来ない」（『連盟年鑑』）。

錦州爆撃で対日感情が悪化したことは確かなものの、日本の立場が苦しくなった大きな要因は、連盟日本代表を務める芳沢謙吉《よしざわけんきち》駐仏大使の不手際にあった。期限付き撤兵を求める決議案と、それに対抗して提出された日本の反対提案（日本以外すべて反対）を採決にかける前に、セシル英代表は、日本が「基本原則」（fundamental principles）と称するものは何か明らかにしてほしいと、芳沢に水を向ける。

しかし、芳沢は「基本原則について、我が国政府は一定の見解を保持するも、我が国政府の許可が得られるまで、本職は正式に理事会にこの見解を伝えることはできない」と発言するのみで、折角のチャンスをふいにしてしまう。

この芳沢のお粗末な対応に、セシルは「何故日本はその見解を発表するに困難を感ずるかを諒解出来ぬと述べ、理事会の空気は一般に日本に対する疑念の念を増したかの如くであつた」（『連盟年鑑』）。

朝日新聞の古垣鉄郎は、中国の施代表と対比するかたちで、芳沢に同情しつつも、「支那側の逆宣伝は巧妙を極め、熱心を尽くして我が外交当局の拙劣、不熱心とよい対照をなした」として、以下のような厳しい指摘を行なっている（『ジュネーヴ特急』）。

なお、戦後NHK会長や駐仏大使を務めた古垣は、一高から、東大ではなく直接リヨン大学に進学し卒業、そのまま欧州にとどまり活躍したという異例の経歴の持ち主である。古垣は、まず米コーネル大出身で、欧米では「アルフレッド・シー」と呼ばれた施肇基について、こう述べる。

連盟の空気を巧に有利に導き、何時《いつ》の間にか連盟理事会自身を、日本と正面衝突の場面にまで引きずつて行つたのは、何としても支那代表施肇基君の力である。(略)所謂《いわゆる》支那大官らしい所がなく、万事アメリカ流の円腰《まるごし》で奔走し活躍する。その英語は又堂に入つたもので(略)理論と修辞にかけては本もの丶英米人が甲《かぶと》を脱ぐ位である。(略)国家のバックなく組織ある政府の支援なくして、独りよく国際外交の檜舞《ひのき》台に主役を演じたダーク・ホースといふべきだらう。

それに対し、我が芳沢代表はどうであったか。

感情に訴へるには多弁を要しないが、理性に訴へ、納得せしめるには如何なる能弁もなほ足りない。ところが事実は弁を要せざる支那代表が多弁で、弁を要する日本代表が訥弁《とつべん》と来てゐる。(略)アメリカ仕込の支那代表と、支那仕込の日本代表の対立が、かゝる公開会議で如何に転回したかは既報の通りである。（略）芳沢代表の語学上の不十分に加ふるに、支那式の無表情で不鮮明な表現は、少なからず列国代表、殊《こと》にブリアン議長やドラモンド事務総長らを悩ましたと伝へられる。

セシル英代表は、「若《も》し或《あ》る国（支那を指す）の代表があれほど雄弁でなく、また若し他の国（日本を指す）の代表がもう少しよく表現出来たならば、問題の解決はこんなに紛糾せずにすんだらう」と述懐したとされる。

もちろん、「万事訓令をのみ奉じて責任転嫁にこれ努め、何等独自の意見も主張も用意せず、事なかれ主義をモットーとする我国現代の多数外交官中にあって」、「『彗星的出現《すいせい》』をなして、一躍会議の花形となつた」連盟日本事務局次長、伊藤述史のような外交官もいた。

古垣の日本の外交官批判は厳しすぎるという見方もあろう。しかし、古垣が絶賛する伊藤も同様の見解を公《おおやけ》にしている（伊藤述史『日本の外交』）。「日本の若い外交官で外国語がろくに出来る連中は居なくて、内地ではどうにかかうにかやつて行くが、一歩外国に踏み出せば役に立たない有様である」と。

さらに、伊藤は、今日の通説的陸軍観からすれば意外な事実を指摘している。外交官が外国語を真剣に学ばないのに対し、「一方陸軍の在外研究員と云ふか若い将校連中には、一生懸命に外国語を勉強して居ると云ふ様な奇現象を見るのが現在の状態である」。

残念ながら、古垣や伊藤の外交官批判は、今日でもそのまま通用するように思える。

巻き返しに成功する日本

日本は1931年10月の国際連盟理事会で苦しい立場に追い込まれたものの、11月16日に予定どおり始まった次の理事会で、巻き返しに成功する。フランスの現職外相でもあるブリアン議長が、国内の政治状況から長期間パリを離れるわけにいかず、理事会がパリで開催されるという異例の措置となったことが、日本に味方した。

ジュネーヴの連盟本部における小国に配慮した建前重視の議論ではなく、日本に好意的なフランス世論を背景に、理事会での落としどころを念頭に置いた、理事会外での政治的折衝が、日英米仏の間で行なわれた。その中心となって活躍したのが、日本の松平恒雄《まつだいらつねお》駐英大使、英国のジョン・サイモン外相、フランスのブリアン外相、そして米国のチャールズ・ドーズ駐英大使であった。

当時、連盟非加盟国である米国が満州問題に「介入」することについて、日本では反発が大きかった。しかし、前副大統領であり老練な政治家であるドーズは、日本に受け入れられるような理事会決議を目指して、精力的に活動する。自らも交渉に深く関わった伊藤は、「ドーズ将軍といふ人の行動に対しては、我々日本人としては感謝の意を表することが適当であらうと思ひます。（略）理事会には一遍も出席しないで、裏面で非常に活躍されたといふことは我々一般に知つておくだけの理由があると思ひます」と記している（伊藤『連盟調査団と前後して』）。

日本がパリにおける交渉でとくに強調したのが、満州の特殊性であった。軍事力に裏打ちされた政治力に欠ける小国が、国際法や国際組織を通じて、大国の行動を抑えようとすることは、今も昔も変わらぬ自然の理《ことわり》である。

連盟に加盟する小国は、本来、満州に権益もないし、関心もない。ただし、連盟加盟国の領土における別の加盟国の武力行使を容認する先例が確立することを恐れていた。そのため、「支那のやうな特別な状態の下にある国に起つた事柄は、斯《か》かる特別状態のない欧羅巴《ヨーロッパ》各国の間には先例となるものではないと云ふこと」を、日本は各国代表に説いて回った（『連盟調査団と前後して』）。さらに、満州の特殊性を各国がよりよく理解するために、日本は連盟が、満州だけでなく、中国全土に調査団を派遣することを提案する。

満州の特殊性を前面に出した日本外交が功を奏し、12月10日の連盟理事会に提出された決議案は、日本に有利なものとなった。

日中両国はさらなる事態の悪化を避けることを求められたものの、日本軍の鉄道付属地への撤兵については、9月30日の決議を再確認するかたちで、「できる限り速やかに」とされ、10月24日の決議案と異なり、期限は設けられなかった。

また、「事案の特別な状況」(special circumstances of the case) に鑑《かんが》み、五名よりなる調査団が派遣されることとなった。

この決議に際し、日本の芳沢代表は、日本人の生命財産を「匪賊《ひぞく》や無法分子」(bandits and lawless elements) から守る行動が承認されているという理解であると言明した。これを受けて、セシル英代表は理事会を代表するかたちで、日本軍が匪賊等を討伐することは「不可避」(inevitable) と同意した。

決議が全会一致で可決された後、ブリアン議長は、この決議が問題解決に向けた「決定的 (decisive) 一歩」となることを望むと宣言した。さらに、満州問題は「平時の両国間に存在する条約や慣習の例外的性質 (exceptional nature) のために、極めて特殊な性格 (very special character) を持つ」と強調し、日本の意向と小国の憂慮に配慮した。

ブリアンによって「純粋に諮問《しもん》的性格」(purely advisory character) を持つだけとされた、いわゆるリットン調査団は、当初予定されていた英米仏代表に加え、独伊が強く参加を求めたため五名構成となった。

ただし、中心となったのは、やはり英米仏の代表であった。英国がベンガル総督だったビクター・リットン、米国がフィリピン「反乱」鎮圧に従事したフランク・マッコイ、フランスが植民地軍司令官だったアンリ・クローデル。三人そろって欧米帝国主義の申し子である。

連盟事務局東京支局の青木が言うように、「理事会決議は撤兵先決主義——即《すなわ》ち連盟の根本原則——を調査委員派遣といふ脇道に避けたもので（略）日本は匪賊討伐のために、占領継続は勿論軍事行動を今後も行ひ得る自由を得たのであるから、特別の事態の発生せぬ限り満州問題もこれで一先《ひとま》づ落着したかのやうに考へられたのである」（青木『日本脱退の前後』）。

ところが、この後、日本の立場を決定的に不利にする「特別の事態」が生じた。

日本の運命を狂わせた上海事変

1931年12月の理事会後も、関東軍は攻勢を強め、翌1932年1月3日には錦州を占領し、満州全域をほぼ手中に収めた。こうした事態の進展に対し、米国のスチムソン国務長官は1月7日、不戦条約に抵触する手段でもたらされた状況、条約あるいは協定は認めないという、米国政府の不承認（non-recognition）政策を、日中両国政府に通知する。いわゆるスチムソン・ドクトリンである。

しかし、1月25日に再びジュネーヴで開かれた国際連盟理事会では、新しく中国代表となった顔恵慶《がんけいけい》の対日非難にもかかわらず、理事会でそれに応える動きはなかった。1月28日には、日本側の実務を取り仕切る伊藤に、「もう討議を打切り、最後は要するに議長が宣言をして日支問題の審議と云ふことは調査団の報告を待つてやらうと云ふラインで以て議長が宣言をする。だからその宣言に対しては日本は異存がないかと言つて来た」。伊藤は手渡された議長の宣言案に手を入れ、当日夜に返す。働き詰めだった伊藤は、一段落ということで、翌日は久しぶりに午前半休を取る（『連盟調査団と前後して』）。

1月29日の昼に出勤した伊藤を待っていたのは、当日夕方に急に理事会が開かれるという、予期しない知らせであった。排日運動が激化し、一触即発の状態にあった上海で、日中両軍の戦闘すなわち上海事変が始まったのだ。

欧米からみれば最果ての地である満州と異なり、上海は欧米諸国の中国権益の中心であり、英国の「縄張り」である。そこを日本が「侵略」したということで、「何か言うても日本側の説明を聞かない」状況となった（『連盟調査団と前後して』）。

満州事変勃発を待っていたかのように、前年秋から中国が官民あげて欧米に広めていった偽造文書「田中上奏文」の影響もあり、上海事変勃発は、日本が満州を基点に、中国侵略を準備し進めているという中国の主張を、裏付けるものと受け取られたのである。

加えて、英国が1927年に排外暴動に対処するため上海に派兵した際、共同出兵要請を拒否した日本の対中「友好」外交は、英国の心証を害していた。

このとき蔵相だったチャーチルは、「日本の本当の望みは、黄色世界（yellow world）における英米欧の影響がすべて除去されるのを見ることだ」と語っている（1927年1月25日付蔵相秘書官宛書簡）。

上海事変はチャーチルの「炯眼《けいがん》」を証明するかにみえた。

それまで満州問題では、日本との妥協に努めていた英国も態度を一変し、中国寄りの姿勢を鮮明にする。その結果、1932年1月29日の理事会は、中国の要求を入れ、日中間の紛争を連盟規約第15条で取り扱うことを決定した。これまで当事国である日本の決議賛成が必要な第11条で処理されてきた満州事変が、上海事変とセットで、採決から当事国が除外され、最悪の場合、第16条によって侵略者と認定され、制裁の対象となり得る案件となってしまったのである。

2月16日には、日中両国を除く十二理事国名義で、スチムソン・ドクトリンと同旨の通知が、日本政府にのみ行なわれた。「日本＝加害者、中国＝被害者」という構図である。

さらに、中国は畳み掛けるように、規約第15条第9項に基づいて、日中紛争の処理を理事会から総会に移すことを要求する。さすがに当初「理事会内の大国は総会における討議は複雑なる本件の解決に適当でないとの立場から反対した」（『日本脱退の前後』）。

しかし、「支那代表顔恵慶の躍起の奔走と、これに引ずられた欧州小国等の盲動との渦巻の裏に」（『ジュネーヴ特急』）、2月18日に上海で日本が中国に最後通牒《つうちょう》を突き付けた翌19日の理事会で、結局、中国の主張が通ってしまう。「かくて上海事件のみならず満州事件も理事会より総会に移され、しかも規約第15条で処理されるといふ日本側にとって最も不利なる手続を適用されるに至つた」（『日本脱退の前後』）。

こうして、ドイツ加盟問題以来、二度目の連盟臨時総会が3月3日からジュネーヴで開かれた。参加した五一カ国中、三十カ国以上の非理事国代表たちが、次々に日本に批判的な論調で、「連盟の規約精神を高調し、この事件は連盟の試金石なりとなし連盟を支持した」（『日本脱退の前後』）。

小国は満州や上海に権益もなく、関心もなかった。しかし、今日以上に大国が赤裸々なパワーポリティクスを繰り広げるなか、将棋の駒のように扱われていた小国は、連盟が一定の歯止めとなることに期待をかけていた。小国は日本批判にかこつけて、英仏を牽制していたのだ。

3月11日に総会で採択された決議（日中両国は棄権）は、連盟規約と不戦条約に反する事情変更は認めないとする2月16日の対日通告を確認し、紛争処理に当たる十九国委員会を総会内に設置することを決めた。メンバーには、総会議長のベルギー外相ポール・イーマンスを委員長として、日中両国を除く十二理事国代表と、秘密投票で選ばれた六カ国の代表が加わった。

十九国委員会の任務は、規約第15条第3項、あるいは必要な場合は第4項に基づいて勧告案を用意することとされた。一部に誤解があるけれども、規約第11条に基づいて設置されたリットン調査団は「純粋に諮問的性格」を持つのみで、理事会に報告を求められていただけである。後述するように、最終的に総会で可決されたのは、リットン調査団の報告を参考にして十九国委員会が提出した勧告である。

元に戻らなかった歯車

紛争処理が理事会から総会に移されたうえ、規約第15条が通用されるという、日本にとって最悪の事態をもたらした上海事変は、国際社会の予想に反し、あっさりと終結した。

中国軍を制圧した帝国陸海軍に、早くも3月3日、停戦命令が下り、聞く耳を持たなかった連盟各国代表も「日本の態度を正当に諒解しかけた」（『朝日新聞』1932年3月4日付朝刊）。

上海事変勃発で日本への疑念を深めていた英国でも、3月22日の下院審議において、1927年の上海派兵時の外相で、与党保守党の重鎮オースチン・チェンバレンが、労働党議員の対日批判を諫《いさ》め、日本に同情的な見方を表明する。

チェンバレンは、日中ともに友好国であり、どちらにも与《くみ》しないとしたうえで、中国には国内秩序をきちんと保てる政府が望まれること、日本が重大な挑発を受けたこと、条約の神聖さを声高に唱える中国が少し前には一方的行動で別の条約を破棄しようとしたことを指摘する。「銃剣はボイコットへの適切な対応ではない」としつつ、対日制裁論を斥《しりぞ》け、国際連盟に慎重な対応を求めた。サイモン外相の答弁も、チェンバレンに同調するものであった（『タイムズ』1932年3月24日付）。

5月5日には、当事者である日中両国の全権とともに、英米仏伊の駐中公使が署名した停戦協定が成立。しかも、協定に撤収期限が明記されなかったにもかかわらず、日本軍はただちに撤収を開始、同月中に完了した。

日本が中国全土侵略を準備し実行しているという中国のプロパガンダのために、それまで全く顧みられなかった現地邦人保護が目的だとする日本の主張の正当性が、事実をもって示されたかたちとなった。このため、国際社会における対日世論は大きく改善する。

当時、英駐在武官補佐官として英軍との折衝にあたっていた辰巳《たつみ》栄一《えいいち》は、後年、次のように述べている（中村菊男『昭和陸軍秘史』）。

> 自分のナワばりに日本の大軍が入ったというので、このときは、ほんとうに朝野をあげて日本の態度を攻撃しましたね。ただご承知のように、この時の上海出兵は日本としては非常に手ぎわがよくて（略）アッという間に片がつきました。それで五月の五日に上海の停戦協定が成立して、日本軍はサッと引き揚げ（略）それから英国の日本に対する態度は一変してよくなりました。（略）もう満州はしかたないじゃないか、日本は満州を国防の生命線だと言っている。日本にとっては事件は死活の問題だ（略）日本軍が満州の中に限定した行動をとるならば、ある程度大目に見てもしようがないじゃないか、といったような空気に変わってきました。

結局、日中間の対立は、上海事変以前の、満州でのみ紛争がある状態に戻った。だからといって、国際連盟は、満州事変だけを扱っていた段階でのコンセンサスであった、英仏主導の理事会の場で規約第11条に基づく当事者間の話し合いによって解決を図る方針に戻ることはできなかった。

なぜなら、上海事変勃発時の英国さえ冷静さを欠いていたときに、中国の要求を丸呑みするかたちで、日中紛争を理事会から小国中心の総会に移し、第15条で処理することが、不可逆的に機関決定されてしまっていたからである。

こうして、当時、日本の勢力圏であるとされていた満州をめぐって、日本だけでなく盟主たる英仏も望まなかった方向に、国際連盟は押し流されて行く。

日本の連盟脱退への流れを決定づけた場所、それは満州ではなく上海だったのだ。ただし、日本にとっては不運としか言いようがない、絶妙なタイミングでの上海事変勃発が、中国にとって単なる「幸運」に過ぎなかったのか、筆者には不明である。

第14章　国際連盟脱退は必要なかった

我々は日中両国の国民感情を理解していなかった
ウィリアム・キャッスル

リットン調査団派遣を主導したのは日本

国際連盟の満州事変への対応は、1931年12月の理事会決議によって「純粋に諮問的性格」を持つだけの、英国貴族リットンを団長とする調査団を満州と中国本土に派遣することで、一旦はけりがついたかに見えた。

リットン調査団派遣を主導したのは日本であった。日本の狙いは、連盟加盟国、とくに小国が中国の特殊事情への理解を深め、小国が憂慮する武力行使容認の先例になるものではないことを示すことにあった。

理事会議長を務めた不戦条約締結の立役者であるブリアン仏外相も、決議に当たり、満州問題の「極めて特殊な性格」に言及し、満州の特殊性は連盟における共通認識となった。事実上、既成事実の容認である。

ところが、前章で述べたように、1932年1月の上海事変勃発で、事態は一変する。欧米中国権益が集中し、英国が自らの縄張りとみなす上海が戦場となったことで、それまで小国を抑え、日本に配慮していた英国も態度を硬化させ、日中間の紛争を連盟規約第11条から第15条で処理するとともに、審議の場を理事会ではなく、小国中心の総会に移すという中国の要求が認められたのだ。

上海事変は意外に早く完全解決となり、停戦協定成立後に日本軍が直ちに撤収したため、対日国際世論は好転する。しかし、国際連盟による満州事変処理は元には戻らなかった。現実的解決を図ろうとする大国中心の理事会と違い、大国を牽制するため国際平和の理想を高唱する小国中心の総会に、主導権は渡されてしまっていた。

日本の脱退は、英国にとっても外交的敗北

それでも連盟の盟主たる英国は、なんとか日本の面目が立つよう、円満な解決を画策する。1932年10月のリットン調査団報告書公表を受けて12月に開かれた連盟総会で、サ

イモン英外相は、予想以上に日本に配慮した演説を行なう。

サイモンは、満州問題は「まことに複雑な性格」（truly complicated character）を有しており、多方面で誤解があるけれども、リットン報告書は当事者の片方を黒、もう片方を白とするような一方的な内容なものではないことを指摘し、満州の嘆かわしい状況と、中国人による排外ボイコットに言及した箇所に触れないのは公正とは言えないとした。

そのうえで、報告書にある「満州事変以前への単なる原状回復は解決とはならない」という指針に基づき、国際連盟の原則と理想に則りつつ、「実際家」（practical men）として現実に向き合い、「現実的解決」（practical solution）を求めねばならないと主張した。

この総会では、小国ながら現実派のギリシャ代表ポリティスも、中国による一方的条約破棄通告や、組織的ボイコットに見られる排外扇動に対する日本の抗議には十分な根拠があり、リットン調査団によっても疑問の余地なく確かめられたとした。そのうえで、中国の行動は「一種の侵略（aggression）であり、国際法の明白な侵犯（violation）を構成する」と断言した。

ただし、ポリティスは、日本の大掛かりな武力行使は、許容される自衛の範囲を超えているとも指摘した。実は、当時の連盟における議論では、柳条湖で爆弾を仕掛けたのが関東軍か否かは大きな論点とはなっていない。直接のきっかけがなんであれ、中国の不正に対する日本の対応が過剰だとされたのである。

12月の総会及び十九国委員会休会後も、英国は勧告阻止に向け、外交交渉を継続する。英国出身のドラモンド連盟事務総長は、日本の杉村陽太郎《すぎむらようたろう》事務次長とともに、ドラモンド・杉村案を作成し、日本政府に内示する。日本が絶対認められないとした満州国独立否認に言及しないなど、12月に作成された十九国委員会の原案を骨抜きにするものであった。

満州事変が当初の理事会案件のままであれば、これで決着となるはずであった。ところが、上海事変により、満州問題処理の権限は、英国がコントロールする理事会を離れ、総会と十九国委員会に移っていた。休会明けの1933年1月16日の十九国委員会で、ドラモンド事務総長はその「越権」行為を強く非難され、ドラモンド・杉村案はその存在自体を否定される。

長年にわたる大英帝国の「横暴」への反発のみならず、当時、欧州ではヒトラー（1月30日に独首相就任）率いるナチスの興隆への懸念が広がっていたことも、日本に不利に作用した。「連盟の遷延乃至《ないし》譲歩を攻撃するの声はますく激しくなつた。事態の現実に即した解決を念じて努力したイギリス側もかゝる大勢には最早抗することが不可能となつた」（『日本脱退の前後』）。

こうして日本のみならず英国にとっても外交的敗北を意味する勧告可決は不可避となった。最終的には1933年2月24日の連盟総会において、第15条第4項に基づく勧告が可決される。反対したのは日本だけで、タイは棄権した。

なぜ日本は脱退したのか

理事会に提出されたリットン報告書は、前述のとおり、日本を一方的に非難するものではなく、日中両国の言い分をある程度受け入れるとともに、両者を批判する内容であった。リットン報告書をもとに十九国委員会が作成し、総会が採択した報告書（勧告はその第4部）も、喧嘩両成敗の色彩が濃厚であった。

1935年に対エチオピア戦争で制裁されたイタリアや、1939年に対フィンランド戦争で除名されたソ連と違い、国際連盟は、日本を侵略者と認定することを、明白に避けている。採択された報告書にはこうある。なお、リットン報告書にも同様の記述があり、サイモン英外相の総会演説でも言及されていた。

疑いなく、今回のケースは、国際連盟規約が提供する調停（conciliation）の機会を事前に尽くすことなく、ある国が他の国に宣戦したものではない。また、ある国の国境の隣国軍隊による侵犯（violation）という単純なものでもない。

連盟は日本が規約に違反した侵略国ではないと明記することで、第16条に基づく制裁への道を塞いだのである。水面下の交渉での個人的見解はさておき、帝政ロシア出身の国際法学者アンドレ・マンデルスタムによれば、満州事変処理をめぐって、「第16条適用は一度も検討されなかった」し、「第16条が規定する制裁を適用すべきと考える連盟加盟国は皆無であった（aucun des membres de la Société n'a cru devoir appliquer)」（マンデルスタム『国際連盟におけるイタリア―エチオピア紛争』）。正確には、当事国の中国を除いて。

1933年2月24日に勧告が可決され、日本の松岡洋右《まつおかようすけ》代表らが退席した後の午後の総会で、中国の顧維鈞《こいきん》代表は、第16条に基づく制裁を求める。しかし、「総会は勧告案の受諾で一応は満足し、又日本代表退席後は日本側に却つて同情を表する空気あり、顧代表の演説は最早や注意を惹か」なかった（『日本脱退の前後』）。

サイモン英外相は、勧告可決直後の2月27日の英下院答弁で、再度、前年の連盟総会演説と同様の主張を展開し、第一次大戦前夜と似ているという野党労働党議員の指摘にこう反論する。「1914年［大戦開戦年］と現在には、ひとつの大きな違いがある。それは、我が国が紛争の当事者となることを、いかなる場合も、決して本政府は許容しないことである」（『タイムズ』1933年2月28日付）。当事国を除く全理事国の賛成が必要な連盟規約第16条に基づく制裁の明確な否定である。

勧告採決の後、「松岡代表は日支紛争に関し連盟と協力する限界に達したと脱退を言外に洩《も》らし」ていたにもかかわらず、最後まで「連盟側及び各国は日本は真に脱退するとは考へてゐなかつた」（『日本脱退の前後』）。

国際政治の修羅場をくぐり抜けてきた欧州諸国からみれば、なんら実効性を伴わない「たかが」勧告で日本が連盟を去るというのは、思いもよらない事態であった。しかし、日本は可決一カ月後の3月27日に脱退を正式通告する。

そもそも、勧告は、日本が満州を実質的に支配する事態となったことを全面否定したわけではない。サイモン英外相が強調したように、勧告は満州問題の「まことに複雑な性格」を相当考慮したものになっている。

にもかかわらず、なぜ日本は連盟を脱退したのか。国際社会に認めてほしいという自信なき新興大国のプライドが傷つけられたことを別にすれば、日本と他国の対立点が、満州の特殊事情という実質問題から、満州国の独立という形式問題に移っていたことが最大の要因であった。

日本にとっても悪くなかったリットン調査団の報告

連盟総会で可決された（勧告を含む）総会報告書は、リットン報告書の見解を引き継いだ、二つの根本方針に基づいている。ひとつは満州事変勃発前の原状回復は解決策とならないこと、もうひとつは満州国の独立は認められないことである。なお、総会報告書は、リットン報告書の事実認識に関する部分（第1～8章）を、そのまま正式に採用している。

両方針の具体化として、満州は中国の主権下に置かれるものの、満州に特有な状況と日本の特殊権益に配慮して、広範な自治権を有する機関設置が勧告された。満州における日本の権利と利益を承認せず、日本と満州の歴史的つながりを考慮に入れない、いかなる解決策も望ましくないとも明記された。

要するに、満州は、名目上は中国の一部であるものの、事実上は中国本土（支那本部）から切り離された、日本の保護国類似の地域だと認められたのである。満州の状況の例外性を強調してきた日本の主張は、実質的にはほとんど受け入れられたといってよい。にもかかわらず、日本は最後まで満州国の独立という形式に拘《こだわ》り、連盟を脱退した。国際連盟における日本の立場を決定的に不利にした上海事変と同時進行で、満州では独立に向けた動きが活発化する。1932年3月1日に満州国建国宣言、3月9日には清朝《しん》最後の皇帝溥儀《ふぎ》が国家元首である執政に就任した。

中国では各地に軍閥が群雄割拠し、中央政府からの独立を宣言することが常態化しており、満州の支配者であった張作霖も、何度も独立を宣言し、1924年にはソ連と独自に「条約」（奉天協定）まで結んでいる。したがって、満州国独立宣言は、それほど目新しい事態ではない。

張作霖も含め各地の軍閥は、あわよくば自らの手で中国統一を成し遂げようとしているのであって、中国を個別の国家（separate states）に分割しようとしているのではない。満州もその「独立」期を含み、中国の一部であり続けた。これがリットン報告書の事実認識である。

なぜ中国がこうした状態にあるのかについて、リットン報告書はこう述べる。

中国における分裂的諸勢力は今もなお強力と思われる。この結合の欠如の原因は、人民大衆が、彼らの国（country）と諸外国の間に厳しい緊張関係がある場合を除き、国民（nation）としてではなく、家族や地縁（locality）を基礎として考える傾向があるからである。

当時の中国を日米欧のような国民国家（nation state）と見なす議論が不適切であることは、近年では、中国出身の米国の歴史学者マイケル・ションが強調している（『西洋帝国主義とのたたかい』）。中国人には一定の人間集団としてのエスニック・アイデンティティはあっても、政治的統一体としての《nation》の意識はない。エスニック・アイデンティティや過去の集団的記憶は、ナショナリズムの源泉であっても、ナショナリズムそのものではないのだ。

このように、リットン報告書は中国の実情を正確に認識する一方、その将来を楽観視していた。

中国の過渡期の光景は（略）中国の性急な友人たちを失望させ、平和に対する危険と化した怨恨《えんこん》をもたらしたけれども、それでもなお、困難、遅延及び失敗にもかかわらず、顕著な進歩が成し遂げられたことも事実である。（略）

もし中央政府［蔣介石政権］が現状のまま維持され得るならば、地方行政、軍隊及び財政は徐々に国家的（national）性格を帯びると期待するのはもっともである。国際連盟総会が昨年［1931年］9月に中国を理事国に選んだのには、他の理由とともに、こうした背景があったことは疑いない。

この希望的観測に基づく中国近代化楽観論は、「中国の主権、独立及び領土・行政の保全を尊重」し、中国の発展と近代化を日米英などが協調して支援するとした九カ国条約が締結された1922年のワシントン会議以来、国際社会のいわば公式見解であった。実際、満州事変に際し、日本の行動を牽制するため、国際連盟と米国は、連盟規約や不戦条約とともに、ことあるごとに九カ国条約に言及していた。

しかし、遠方にある欧米諸国と異なり、隣国である日本は、ありのままの中国を直視し行動せざるを得なかったのである。

国内で高まる強硬論

日本国内では、陸軍に限らず、満州は日本の「生命線」というのがコンセンサスであり、自らの縄張りである満州に、欧州中心で極東情勢に疎い国際連盟が関与することへの反発は強かった。英国のエジプト支配や米国の中南米諸国への武力干渉には目を瞑《つむ》るのに、連盟が満州問題に口出しするのは「不公平」だとする当時の日本の国民感情は、必ずしも理不尽とはいえない。

とくに上海事変勃発によって、日本の言い分を聞こうとしない連盟による対日批判が高まるなか、日本では連盟の無理解への絶望もあって、従来の国際協調派も含め、強硬論が勢いを増す。

たとえば、外交官から国際法学者に転じた信夫淳平は、1932年4月刊の『満蒙特殊権益論』で、性急な連盟脱退論を諌《いさ》めつつも、その選択を否定することなく、こう主張する。

従来比較的温和の見を持し、日支両国の識者にして胸襟を開いて談合を試むるならば、大概妥結に達するを得べきものと思惟《しい》した。（略）然るに近時内外の情勢は（略）従来の卑見の全く迂儒《うじゅ》［現実を解さない学者を蔑む言い方］時務を解せざる愚説なりしを今さらながら感ぜしむるに至った。（略）今日となりては、どう考へても、実力に依る以外に手段方法は全然あるまい。実力と云つても、直ぐ剣を抜いて起《た》つといふ意味ではない。実力とは国家の力である。

こうした国内世論を背景に、五・一五事件で犬養毅《いぬかいつよし》首相が暗殺された後に成立した斎藤実《さいとうまこと》内閣で、満鉄総裁だった内田康哉《うちだこうさい》が外相に就任する。日本の国際協調路線を象徴する不戦条約調印で全権代表を務めた内田は、今度は逆に、国際連盟との決定的対立を意味する満州国承認を推進する。

前述のとおり、地方政権が中央からの独立を宣言することは、中国では大きな意味を持たない。しかし、第三国である日本がその地方政権を独立国家として承認するとなれば、話は別である。なぜなら、日本による承認は、その地域に対する中国の主権否認となり、九カ国条約に反することになる。さらにそれが武力行使によってもたらされたとすれば、連盟規約や、法的拘束力の有無はさておき、不戦条約にも抵触する。少なくとも、それが当時における連盟各国及び米国の理解であった。

1932年7月、報告書作成を前にして、リットン調査団が再来日する。調査団は来日前に、北京で宋子文《そうしぶん》や汪兆銘《おうちょうめい》ら国民政府首脳と意見交換し、次のような意向を伝えられていた（『ジュネーヴ特急』）。満州における日本の権益を認め、満州の事実上の行政権は断念する。ただし、名目上の領土主権は放棄できない。また、軍人による満州行政は非とし、文官による民政とする。

リットン調査団は中国側の意向を念頭に、日本の満州国承認を思いとどまらせ、日中間の直接交渉を通じた解決を期待し、就任したばかりの内田外相と会談する。「所が調査団は内田外相から木で鼻をくゝる様な返答を頂戴し（略）日本の満州承認の真意につき半信半疑の裡《うち》に」北京《ペキン》に戻り、報告書作成に取り掛かった。

リットン卿がこの時、正しく我が満州国承認即行の絶対不可避の所以《ゆえん》を諒解し得、且つ日本の堅き決意を充分認識し得ざりしことはかへすがへすも残念であつた。さりながら我らはこの間我が外務当局の応酬振りにも今一応の用意周到さと親切さのなかつたことを悲しまねばならない。

リットン調査団が、事変前への原状回復と満州国独立をともに不可とする報告書を9月4日に脱稿した後、9月15日に日本は満州国を承認する。報告書が公表された10月2日の時点で、その結論は、すでに空文と化していた。

日本の外交的敗北

政治学者で東大教授だった蠟山政道《ろうやままさみち》が、連盟脱退直前の1933年2月に公刊した『日満関係の研究』で指摘したように、日本は満州の特殊事情を強調し、欧米の無理解を批判しながら、満州国独立と日本による承認を正当化するに当たっては、「単純に且つ西洋流に三千万民衆の自発的意思に基き、近代国家が成立したと称することによつて（略）調査団の結論を感情的に対立的なものに為した」。「西洋流」の民族自決原則を満州に適用しようとする日本の試みには無理があった。満州三千万人のうち、中国（支那）人が九割を占め、わずかに残る満州人は中国人に同化し、ほとんど独自性を失っていた。

リットン報告書も認めるように、「満州の現在の住民は、主として近年の移民」であった。日露戦争後、日本主導で満州の開発が進み、中国本土の苛政を逃れる中国人が殺到することで、満州は当時すでに「中国東北部」となってしまっていた。日本が満州を「王道楽土」にしたため、中国本土とは異なる独自性を持った地域としての満州は、すでに消滅していたのだ。

一方、帝政ロシアの支配下にあった外モンゴルには、ロシア革命に伴う内戦の混乱が収まった1924年、ソ連の衛星国、モンゴル人民共和国が樹立される。日本では、欧米がソ連の外モンゴル支配を容認しながら、日本の満州支配を批判するのはダブルスタンダードだという主張があったけれども、両者には大きな違いが二つあった。ひとつは、外モンゴルの住民ほとんどがモンゴル人であること。もうひとつは、ソ連が公式には、中国の主権を認め続けたことである。

前述の国民党首脳がリットン調査団に伝えた、満州に対する事実上の行政権放棄と主権の保持という中国側の妥協案は、まさにこの外モンゴルの例にならうものであった。台湾《たいわん》をめぐる一国二制度という、今日の中国政府の主張は、この延長線上にある。

もちろん、ソ連は外モンゴルの中国からの完全分離を諦めたわけではない。1945年2月のヤルタ会談で、スターリンは対日参戦の見返りのひとつとして、モンゴル人民共和国の中国からの正式の独立、つまりソ連による完全衛星国化を英米首脳に認めさせる。その結果、1945年8月14日に締結された中ソ友好同盟条約で、国民政府は外モンゴルの独立を承認した。

第一次大戦後も、大戦前と同じく、国際社会の苛烈な弱肉強食の実態に大きな変化はなかった。とはいえ、少なくとも建前のうえでは、「領土保全と現在の政治的独立を尊重」

（国際連盟規約第10条）する時代となっていた。それは所詮、偽善に過ぎないと切って捨てることは容易であり、実際、当時の日本は直截《ちょくせつ》に行動した。しかし、国内外を問わず、人間社会が偽善なしに成り立たないことも真実であろう。

日本の「善政」で中国化し、独自性を失った満州に対し、ソ連の過酷な支配下で「冷凍保存」されたモンゴルは、ソ連崩壊後、国民国家として生き返る。歴史の皮肉というべきか。

そのソ連の全面支援を受け、最終的に大陸を制覇した中国共産党は、満州事変直前、国民政府の攻勢によって存亡の危機にあった。ところが、事変勃発で蔣介石は「剿共《そうきょう》」（反共）から「抗日」への転換を余儀なくされ、共産党は息を吹き返す。リットン報告書も、満州事変によって、共産軍が反撃を開始し、国民軍は戦勝の成果をほとんど失ったとしている。

それでも、同じくリットン報告書にあるように、1932年夏に国民政府は、共産党の抵抗の最終的鎮圧（final suppression）を目的とする大規模な軍事行動開始を宣言。満州事変も、日本が国際連盟に脱退を通告した二カ月後の1933年5月に、日中両軍間の塘《タン》沽《クー》停戦協定で終結した。

蔣介石は、日本が「表面的な皮膚の病」に過ぎないのに対し、中国共産党は「死命を制する心臓の病」とみなし、国民政府が一度も実効支配したことのない満州の分離独立を黙認することで、日本と連携して共産党に対峙《たいじ》しようとしたのである。

しかし、日本が実効支配にとどまらず、満州国承認によって満州に対する中国の主権を否認したことは、国民政府の対日協力を困難にする一方、日本と連携しようとする蔣介石を非難する絶好の口実を、中国共産党に与えることとなった。日本は中国本土及び満州での「防共」を主張しながら、実際には中国共産党を「支援」していたのである。

結果的にそうなっただけなのか、それとも意図されたことだったのか。それは今に至るも謎のままである。

米国も、日本との対立は望んでいなかった

スターリンが外モンゴルに対して行なったように、日本が満州を自らの影響下に置きつつ、国民政府の主権を認めるというのは、実は米国が望むシナリオでもあった。

満州事変時の米外交といえば、スチムソン国務長官の名と結び付けられることが多いけれども、当時はフーバー共和党政権であったことを忘れてはならない。フーバーは、後任のルーズベルトと異なり、米大陸外への介入に慎重であり、近年やっと公刊された回想録

（『裏切られた自由』）で、ルーズベルトの対日挑発外交を厳しく批判していたことが明らかにされた。

フーバー政権は日本との決定的対立など望んでいなかったのだ。

元駐日大使で満州事変時に国務次官だったウィリアム・キャッスルは、退任直後の1933年4月に「最近の米国の極東政策」と題した講演で、次のようにフーバー外交の真意を語っている。我々は日本を不必要に刺激しないよう慎重でなければならず、実際、一貫して対日経済制裁に反対であると国際連盟に伝えていた。侵略的行動の成果を米国は承認しないけれども、大統領は国際世論が徐々に間違いを正すと信じて、重大な結果をもたらし得る対日ボイコットには断固反対し、不承認ドクトリン宣言によって、戦争を意味しかねない制裁発動を押しとどめた、と。

キャッスルの発言から、米国政府が経済制裁を武力行使に準じた行為とみなしていたことがわかる。こうした認識は米国政府特有のものではない。高柳賢三は、中国における排日ボイコットは国民政府主導であれば敵対行為だとしていた（『国際法外交雑誌』第32巻第6号）。日本政府は国際連盟でそのように主張したけれども、リットン報告書は、ボイコットが国民党主導であることは認めたものの、国民政府の責任の有無は調査団には判断できないと逃げを打った。

キャッスルはさらに、満州事変をめぐっては、日本への配慮に欠けたことを率直に認めている。我々は、日本の権益侵害・無視という中国の挑発があったことを忘れがちであり、満州と南京の関係が、あたかもオハイオとワシントンの関係と同様であるかのように考えていた。最初から日本の立場にも理解を示し、国際連盟と米国が中国に日本との直接交渉を強いていれば、「日本は受け入れるべきであるものの、今となっては受け入れないであろう解決策を、当初であればよろこんで受諾しただろう」と。

キャッスルは、中国の主権を維持したまま、日本の権益を尊重する総督（Governor General）の下で満州の自治を認めるという、連盟勧告と同様の案を例示し、それが実現していれば、満州にとってベストであり、極東に親善の新時代が到来していたとする。結局、米国も国際連盟や蔣介石政権と同様、日本が満州に対する中国の主権という建前さえ認めれば、それでよかったのである。

「智的狭隘《きょうあい》性」を暴露した日本

上海事変勃発によって、国際連盟の場で日本は不利な立場に追い込まれたとはいえ、満州国承認を思いとどまっていれば、後は満州「自治」への日本の関与をめぐっての条件闘争であり、連盟を脱退することにはならなかったであろう。

ただし、連盟を脱退せず、日本の満州での優越的地位が国際的に承認される事態となっていたとしても、日本にとって、中国化した満州は手に余る存在だったように思える。イタリアのエチオピア併合やソ連の対フィンランド侵攻とは異なり、日本の満州支配が連盟に侵略とはみなされなかったからと言って、それが賢明な政策であったかどうかとは別の問題である。

蠟山政道は、満州事変時にも、今日と同じような中国批判があったことを記している(『日満関係の研究』)。

> 支那人が歴史を忘れ、過去を無視し、従つて国際条約に又国際信義に背いた乱暴な行動に出で、経済的実力が増加した為めに日本人に対する昔日の尊敬を失ひ、「立小便」もしかねまじく言語道断の振舞ひがある。かやうな心理的変化が前提となつて、今日の如き対日関係の悪化を来したと云ふことが論じられてゐる。

しかし、蠟山は、対中強硬論の背景にあったこうした中国批判に与《くみ》せず、むしろ、中国人に同情を示すとともに、今日まで続く日本人の中国観の問題点を指摘している。

この点に関して考へたいと思ふのは支那人の国民性である。一体過去の歴史を尊重し、現在との連鎖を考慮すると云ふ習性は、秩序の立つた国家制度の樹立されてゐる場合にのみ発生するメンタリテイである。（略）かうした心理的傾向を念頭に置くとき、満州に於ける日本人の社会的文化的貢献が如何に大であらうとも、之が尊重と感謝とを支那人に求めることは全く見当違ひだと思ふ。若し、日本人の特殊な歴史や心理を以て、事情の全く異なる支那人に求めて得られないからと言つて憤慨するやうでは、日本人は大国民でない。到底帝国主義国の名にも値し得ない、智的狭隘《きょうあい》性の暴露でしかないであらう。

英米仏やソ連が行なったような「非文明国」に対する狡猾《こうかつ》かつ傲慢《ごうまん》な帝国主義的支配は、日本人の手に余る仕事であった。21世紀の日本人に求められているのは、戦後70年談話にあるように「国際秩序への挑戦者となってしまった過去を、この胸に刻み続け」ることよりも、自分たちが小国民だという自覚ではあるまいか。

我々は、他民族を巧妙に支配できる大国民ではないし、それを嘆く必要もない。しかし、小国民といえども、それがいかなる美名の下であれ他国に支配されることなく、国際社会において独立自尊の道を歩むことは可能である。もちろん、今日の日本人にも。

終章　アジアの孤児　日本

東アジアでは女性が消えている……。科学の進歩で広がる選択的中絶

女わらべなればとて
いやしむべからず

北条重時

女性尊重は日本の伝統

男女共同参画社会の推進は、日本政府の最重要政策のひとつである。その具体的内容の是非はともかくとして、「男女共同参画社会の形成は、男女の個人としての尊厳が重んぜられること、男女が性別による差別的取扱いを受けないこと、男女が個人として能力を発揮する機会が確保されることその他の男女の人権が尊重されることを旨として、行われなければならない」（男女共同参画社会基本法第3条）という基本方針に異論を唱える向きはないだろう。

そもそも、女性尊重は日本の長い伝統である。しばしば指摘される日本の「男尊女卑」は、かなりの程度、明治維新による「男性的」近代国家誕生以降の現象といってよく、「封建」時代の日本では、意外なほど女性の権利は尊重されていた。

日本の女性尊重の伝統を具体的に示したものとして、今から800年ほど前の1232年（貞永元年）に、鎌倉幕府の執権北条泰時《ほうじょうやすとき》によって制定された貞永式目（御成敗式目）がある。

その条文は、何らかの基本理念から体系的に構築されたものではなく、武士の間で行なわれていた慣習や先例を、彼らが「道理」と考える規範意識に従って整理したものである。

したがって、形式上は日本の国法であっても中国からの直輸入で日本の実情とはかけ離れた律令とは違って、貞永式目は地に足がついた内容となっている。その影響は実に江戸時代にまで及んでおり、式目は寺子屋の教科書としても広く使われていた。

この貞永式目の相続に関する規定が、驚くほど男女平等なのだ。

まず、日本の「伝統」とされる長男相続の原則など、当時の武士には一切存在しない。貞永式目は自由相続を前提に規定が置かれている。「親は子のうちから長幼にかかわらず自由に嫡子を選定し、これに本領を含む最も多くの所領を譲与するのが普通であった」

（笠松宏至《かさまつひろし》校注「御成敗式目」『中世政治社会思想　上』）。

そして、「男女の号異なるといへども、父母の恩これ同じ」（18条）として、男女とも相続対象であることが当然視されている。妻が相続することも認められており、一旦、妻が（生前贈与で）相続すると、仮に離婚しても、妻に責がない場合、夫は取り戻すこと――「悔い還し」と呼ばれた――はできないと規定されている（21条）。

さらに「武家の法制が既に女子の戸主たり所領の所有者たることを認めた以上は、これが相続の為めに養子をなすを妨げずとするは当然の事であ」り（植木直一郎《うえきなおいちろう》『御成敗式目研究』）、未亡人が養子をとって相続させることを認めるという、儒教文化圏では想像を絶する規定まで置かれている（23条）。

山本七平《やまもとしちへい》が指摘しているように、貞永式目は一夫一妻が前提となっている。「これはイスラム圏から儒教圏までの『アジア』と対比する場合、実に面白い特徴といわねばならないであろう。『式目』には『結婚は一夫一妻制たるべし』といった条文はない。しかし（略）『式目』は、常識となっていることは規定しないのが原則であり、その条文が一夫一妻制を前提としていることは、これが当然とされていたということである」（『日本的革命の哲学』）。やはり一夫一妻が原則のキリスト教文化圏同様、愛人の存在は、この原則を否定するものではない。

「消えた女性」と「息子偏重」

さて、日本では少子高齢化問題とその対策が種々議論されている。しかし、少子化と高齢化は、本当に「問題」だろうか。まず、日本人が全体として高齢化していることは、寿命が延びたためであり、基本的には好ましいことであろう。しかも、最近の高齢者は概して昔より明らかに元気である。

少子化については、人口減すなわち労働力の減少につながることが問題視されているけれども、逆の議論もあり得る。人口が現在の半分程度だった大正後半から昭和初期にかけて、日本の人口は過剰とされていた。現在の日本は、欧米先進諸国と比べ、可住地面積あたりの人口密度が段違いに高い。山ばかりの我が国土に対し、人口が多過ぎるともいえるのだ。

したがって、政策的強制なしに、個人の自主的判断に基づき、出生数が減り、人口が減少していくことは、むしろ望ましいようにも思える。人口が減れば、日本経済の規模は縮小するかもしれない。しかし、一人当たりの経済的豊かさが低下するとは必ずしもいえないのである。

今日、真に憂慮すべき人口問題は、日本や欧米における少子高齢化ではなく、サハラ砂漠以南のアフリカにおける急激な人口増加と、アジアにおける「消えた女性」(missing women)の問題である。

ここでは、後者の問題について、ロンドン大テレーズ・ヘスケス教授らが『米国科学アカデミー紀要』などで発表した業績によりながら、日本との関連も含めて、検討してみたい。

「消えた女性」とは、一国の人口構成において女性が男性に比べて少な過ぎることを指し、「息子偏重」(son preference)と表裏一体の関係にある。

ヘスケス教授らによれば、「息子偏重は、東アジアから南アジア、中東そして北アフリカに至る弓状の国家群(an arc of countries)においてもっとも顕著である」。なぜ息子が娘より好まれるかと言えば、農業社会においては労働力として男子の方が女子より経済的価値があること、家系を継続させるのは男子だと考えられていることなどによる。

中東と一体といえる北アフリカのイスラム文化圏を含んだ、広い意味でのアジアにおける「息子偏重」は、出生後の女児への差別的取扱い—極端な場合には幼児殺し—に起因する、男児に比べて高い女児の死亡率につながっている。そのため、男女平等に扱われた場合と比べて、アジアを中心とした途上国全体で、現実の女性の数が一億人程度少な過ぎると推計されている。

とはいえ、経済発展に伴い、女児の死亡率は減少しており、「消えた女性」問題も解決に向かうかに見えた。しかしながら、今度は科学技術の進歩が、その女児死亡率減少を打ち消す現象をもたらしたのである。アジアにおける男子の出生数が、女子のそれより異常に多くなってきたのだ。

人間の場合、女子の出生数１００に対する男子の出生数を示す出生男女比（性比）は、１０５前後というのが自然の状態で、多くとも１０７程度とされる。ところが、アジアにおいては、広い範囲でこの自然値から上方への乖離、すなわち男児が女児に比べて多過ぎる傾向が、１９８０年代以降、顕著になってきた。

実は、このころから、胎児の性別を正確に判定する出生前診断が一般に普及し始めたことによって、これまでの出生後の男女差別に代わって、出生前の段階での男女差別が、「消えた女性」問題の解決を阻むこととなったのである。

そして、出生男女比が、インドと並んで、特に高い数値となっているのが東アジアなのだ。

図終－1:国別出生男女比

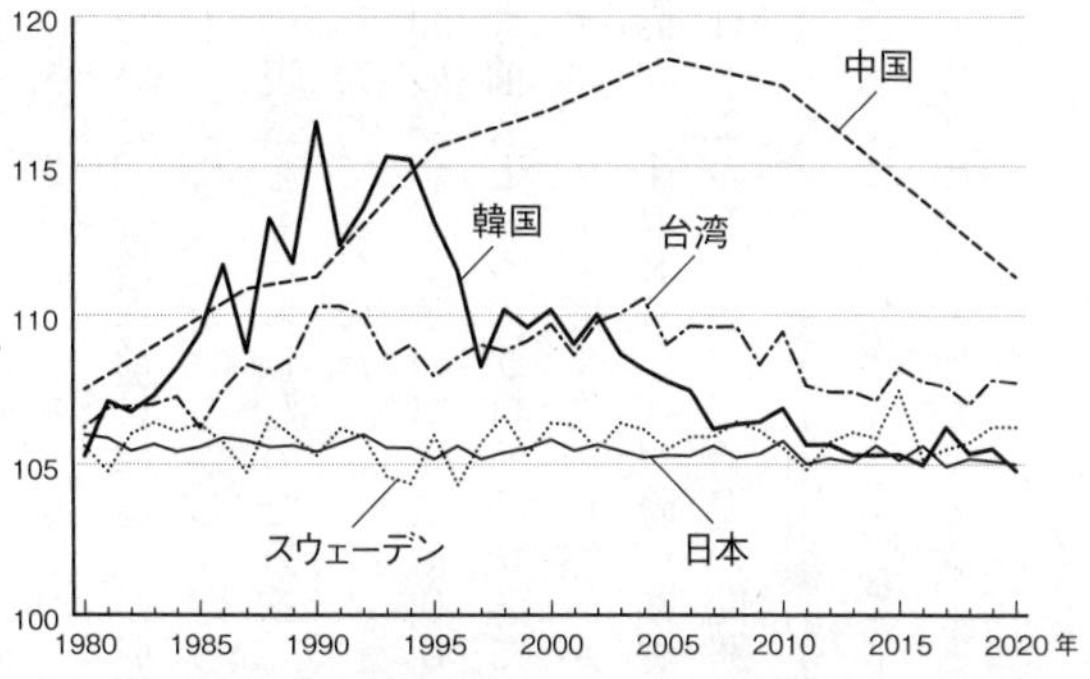

出典:各国政府統計(中国以外)
国勢調査・ユニセフ報告(中国のみ)

息子だけ欲しい…中韓台の出生事情

実際、出生前に性別がわかるようになったことが、東アジアにおける出生事情に具体的にどの程度影響を与えたのか。

それを示したのが、図終－1の1980年から2020年までの国別出生男女比の推移である。日本国内のみならず世界的にも東アジアと一括される日中韓台に、比較対象として、世界で最も男女平等が実現している国のひとつとされるスウェーデンを加えた。中国を除き、データは各国政府統計からそのままとっている。資料の制約から、中国のみ国勢調査とユニセフ報告『中国の子供』を用い、一部数値を推計した。

図終－1からわかるとおり、1980年の段階では、各国の出生男女比は自然な値である105前後であった。ところが、1980年代前半に出生前性別診断が一般に普及し始めたのに合わせて、中国、韓国及び台湾の出生男女比は、作為がない場合の自然値である105前後から大きく乖離し、110を突破する。もっとも早く出生前診断が普及した韓国では、1990年に男女比は116に達した。自然な状態に比べ、男児が一割も多い異常事態である。

なぜ、このような出生男女比のゆがみが生じたのか。それは、出生前に女子とわかった場合にのみ中絶を行なうことが、広く行なわれるようになったからである。これまでのアジアにおける息子偏重は、出生後の養育過程における男児優遇となって表れ、低い生活水準の下、男児に比べた女児の死亡率の高さにつながっていた。それに対し、科学技術の進歩によって、豊かになったアジアでは、女児が生まれる前に「除去」される時代がやってきたのだ。

ただし、出生前診断による「産み分け」―女児の選択的中絶―は、女性が出産する順番によって大きく異なる。

図終－2は、韓国の出生男女比を1981年から2020年まで出生順ごとに推移を示したものである。実は、第1子の男女比は自然な値である105前後で推移している。つまり、最初の子供を産む段階では、人口動態を左右するような選択的中絶は行なわれていない。ところが第2子となると、ピーク時の1990年には117を記録している。この年は女児が好ましくないとされる午《うま》年であったことも影響したとされる（イ・ジョンミン他『デモグラフィー』第43巻第2号）。確かに前後の年は112となっている。

おそらく、韓国のような豊かな社会では、多くの夫婦が子供二人を前提とした人生設計を行なっていると思われる。そのため、最初の子供は、男女どちらであっても「子供は授かりもの」という意識が支配的なのであろう。ところが、第1子が女児の場合、第2子は是が非でも男児ということで、「産み分け」が頻発する。

さらに、第3子と第4子の男女比を見てみると、ピークとなった1993年にはそれぞれ203、240という驚くべき数値となっている。男児の出生数が女児の2倍を超えているのだ。少子化が進んだ韓国で、女性が第3子や第4子を産む場合、一族を継ぐ男児を望む夫や周囲からの強い圧力に応じたケースが極めて多いと思われる。当然ながら、出生前診断で女児と判明したら中絶を求められるということである。

それぞれの家門あるいは一族の観点からは、たとえ息子の方が娘より大事であったにしても、男児だけを産むのは、社会全体からみれば、一手先までしか読まない詰将棋のようなものである。男が女より著しく多くなれば、多くの男が結婚できなくなる。つまり、息

図終−2:韓国出生順別出生男女比

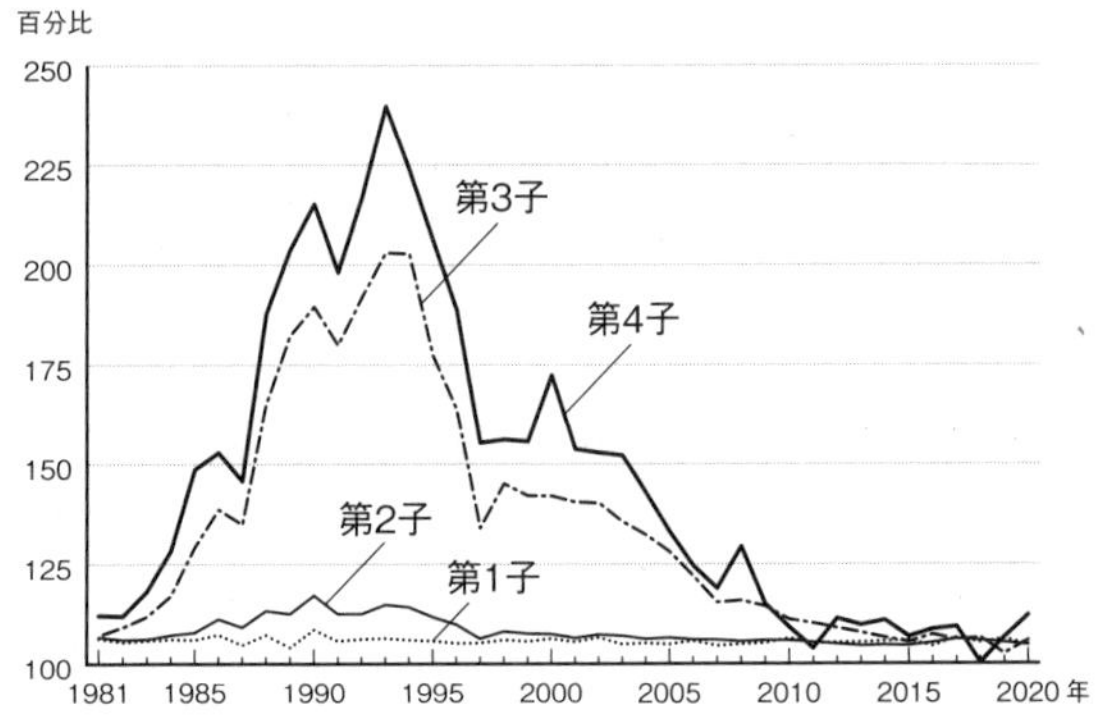

出典:韓国政府統計

子が花嫁を見つけることができず、子孫が絶えてしまう。一方、男性過剰社会では、娘にとって花婿は選り取り見取りとなる。

人口構成のゆがみを憂慮した韓国政府は、男児だけを産めば将来の花嫁不足が深刻になることを強調することで、国民啓発に努めるとともに、出生前診断に基づく「産み分け」に厳罰でもって対処した。1991年には禁止されたにもかかわらず出生前診断を行なったとして、ソウルの医師八人が免許を剝奪された。この後、政府の硬軟織り交ぜた、出生男女比の是正政策が功を結び、図終−1及び図終−2から明らかなとおり、1990年代後半以降、出生男女比は低下、現在では、出生順にかかわらず、自然な状態である105前後の値で推移している（ただし、2020

年の第4子男女比は112)。

とはいえ、1980年代から1990年代の「産み分け」全盛期に生まれた男性が、現在、結婚適齢期を迎えている。彼らは相手となる女性が少な過ぎるので、日本よりはるかに男子による家系の継続が重視されるにもかかわらず、結婚市場であぶれてしまう。これは、韓国社会の安定を揺るがしかねない深刻な事態である。

なお、「産み分け」には、女性にとってメリットがあるという議論も存在する。なぜなら、望まれない女児の出生数が減ることで、生まれた女児への差別扱いが減るだろうし、男性より数が大幅に少なくなれば、女性が貴重となり、結婚を含め、社会生活でこれまでよりも優位な立場を占めることとなるからである。

次に、台湾では、図終－1に示したように、韓国ほど出生男女比が上昇しなかったものの、それでも「産み分け」がなければ生じえない110前後の数値が続き、2020年も108と自然値よりやや高くなっている。韓国のように極端な事態にならなかったかわりに、韓国ほどドラスチックな是正策も取られなかったため、男児がやや過剰な状態が続いているといえようか。

そして、中国における出生男女比は、ピークを過ぎたとされているけれども、依然、高い水準にとどまったままで、現段階では概要のみが公表されている最新の国勢調査である

2020年の数値は111となっている。中国でも韓国同様、将来花嫁になる娘を大事にしようというキャンペーンが行なわれ、「産み分け」が禁止されているにもかかわらず、韓国で実現したような劇的な効果は表れていない。ただし前回国勢調査の2010年は118だったので、徐々に男女比は低下しているようである。

詳細な公表データが入手できた2010年の数値を見ると、韓国で「産み分け」が盛んだった1980・90年代と異なり、中国では第1子から男児が多く、その男女比は114だった。これは、2015年に廃止されるまで、「一人っ子政策」ゆえ、韓国と違い、第1子が原則として最後の子となったためである。

また、中国の場合、出生男女比の地域差も大きい。大ざっぱな傾向として、南に行くほど男児の割合が高くなっている。たとえば、2010年の数値は、山西省が110、河北省が115に対し、安徽省が129、福建省が126となっている。

興味深いのは、かつて満州国だった地域の男女比が比較的低いことである（黒竜江省112、吉林省111、遼寧省110）。ただし、漢族の進出が著しいといわれる内モンゴルの男女比は、2000年には108と自然値に近かったのに、2010年には112に上昇している。一方、内モンゴルほど「中国化」が進んでいない、非中華文化圏のチベットは107、新疆ウイグルは106で、「産み分け」のない自然値を示している。

「男尊女尊」アジアの孤児

国内外で、日本は東アジアの一員である、あるいはそうあるべきという主張がなされる。東アジア共同体構想もこうした考えを反映したものであり、国内に根強い支持がある。盟主が日本から中国に交代（？）したとはいえ、かつての大東亜共栄圏につながる構想でもある。

今も昔も、東アジアの連帯を強調する論者は、メンバーが同一文化圏に属していることを強調する。いわゆる儒教文化圏という発想は、欧米の知識人の間でも珍しくない。

しかし、儒教文化を反映した中韓台の出生男女比にみる「男尊女卑」は、日本には全く存在しない。図終－1からわかるとおり、1980年代以降、出生前診断の普及によって中韓台で男児を求める「産み分け」が盛んとなるなか、日本の男女比は、スウェーデンと同じく、自然値である105前後で推移している。スウェーデンより日本の男女比が安定しているのは、出生の絶対数が多い（スウェーデンの約十倍）ため、各年のばらつきが均されるためである。

「一人っ子政策」という、個人の判断に直接介入する人口政策が採用されてきた中国は別にして、日本も韓国も台湾も、豊かな社会における少子化に直面し、その対策の必要性が叫ばれて久しい。ただし、すでに述べたとおり、なぜ子供が減ることが「問題」なのか、今一つはっきりしない。

そもそも少子化が「問題」なのかどうかはさておき、生まれる子供の数が減ったという点では同じでも、日本には、他の東アジア諸国が抱える、女性が少な過ぎるという本当に憂慮すべき人口問題は存在しない。

中韓台といった「本物」の東アジア文化圏を含め、アジアにおける男性過剰は、今後の世界の政治的安定を揺るがしかねない深刻な問題である。しかし、そこに日本は入っていない。女児を男児同様に大切にするのは日本の伝統であり、科学技術の進歩や少子化という大きな変化のなかにおいても、出生男女比は自然値のままという点に、地理的な意味での東アジアにおける、日本の「特異性」が如実に表れている。

出生という社会あるいは生き方の根幹における、アジアにおける日本の独自性が示すのは、良きにつけ悪しきにつけ、我が国が（東）アジアの一員ではないということではなかろうか。それは決して悲しむべきことではない。他のアジア諸国の方から日本に歩み寄るのでない限り、女児も男児も大事にする我が日本は、今後もアジアの孤児であり続けるべきであろう。

selective abortion in China and other Asian countries, *Canadian Medical Association Journal* 183 (12):1374-1377. ［中国他アジア諸国の息子尊重と選択的中絶の帰結］邦訳なし］

T. Hesketh & M. Jiang (2012) The effects of artificial gender imbalance, *EMBO reports* 13 (6): 487-492. ［「人為的男女不均衡の効果」邦訳なし］

J. Lee & M. Paik (2006) Sex preferences and fertility in South Korea during the year of the horse, *Demography* 43 (2): 269-292. ［「午年の韓国における性別選好と出生率」邦訳なし］

UNICEF (2014) *Children in China: An atlas of social indicators.* ［『中国の子供』邦訳なし］

伊藤述史（1932）『連盟調査団と前後して』（共立社）
伊藤述史（1940）『日本の外交』（三省堂）
信夫淳平（1932）『満蒙特殊権益論』（日本評論社）
高柳賢三（1933）「党独裁制と国際責任（四）―コミンテルンと中国々民党―」『国際法外交雑誌』第32巻第6号
中村菊男（編）（1968）『昭和陸軍秘史』（番町書房）
古垣鉄郎（1933）『ジュネーヴ特急』（朝日新聞社）
蠟山政道（1933）『日満関係の研究』（斯文書院）
G. Deschner (2009) *Bomben auf Baku: Kriegspläne der Alliierten gegen die Sowjetunion 1939/1940* (Antaios). [『バクー爆撃』邦訳なし]
H. Hoover (2011) *Freedom betrayed: Herbert Hoover's secret history of the Second World War and its aftermath* (Hoover Institution Press). [『裏切られた自由』邦訳なし]
A. N. Mandelstam (1937) *Le conflit italo-éthiopien devant la Société des Nations* (Recueil Sirey). [『国際連盟におけるイタリア・エチオピア紛争』邦訳なし]
M. M. Sheng (1997) *Battling Western imperialism: Mao, Stalin, and the United States* (Princeton UP). [『西洋帝国主義とのたたかい』邦訳なし]

終章

植木直一郎（1930）『御成敗式目研究』（岩波書店）
笠松宏至（校注）（1972）「御成敗式目」『中世政治社会思想　上』（岩波書店）
山本七平（1982）『日本的革命の哲学』（PHP）
T. Hesketh & W. Zhu (2006) Abnormal sex ratios in human populations: Causes and consequences, *Proceedings of the National Academy of Sciences of the United States of America* 103 (36): 13271-13275. [「人間集団の異常な性比」邦訳なし]
T. Hesketh et al. (2011) The consequences of son preference and sex-

League of Nations Official Journal, December 1931 – May 1933.

満州事変関連国際連盟総会議事録
Records of the Special Session of the Assembly convened in virtue of Article 15 of the Covenant at the request of the Chinese Government, vols. I-V, *League of Nations Official Journal* Special Supplement 1932, 101-102; 1933, 111-113.

1927年1月25日付　チャーチル蔵相秘書官宛書簡
https://www.churchillarchive.com/explore/page?id=CHAR%2018%2F43#image=22

1932年10月2日公表「リットン報告書」
https://www.wdl.org/en/item/11601/

1932年12月7日サイモン、ポリティス国際連盟総会演説
League of Nations Official Journal Special Supplement 1933, 111.

1932年2月24日国際連盟総会報告書（含対日勧告）
同年3月27日日本政府脱退通告書
国際連盟協会（1933）『連盟脱退関係諸文書』

1933年4月7（8）日　キャッスル講演
Annals of the American Academy of Political and Social Sciences 1933, 168:46-53.

青木節一（1931）『国際連盟年鑑（昭和七年版）』（朝日新聞社）
青木節一（1934）『日本脱退の前後　国際連盟年鑑（最終版）』（朝日新聞社）

2015年8月14日「内閣総理大臣談話」
https://warp.ndl.go.jp/info:ndljp/pid/10992693/www.kantei.go.jp/jp/97_abe/discource/20150814danwa.html

田岡良一（1932）「不戦条約の意義」『法学』第1巻第2号
田岡良一（1973［1959］）『国際法Ⅲ（新版）』（有斐閣）
田岡良一（1981［1964］）『国際法上の自衛権（補訂版）』（勁草書房）
D. Anzilotti（1929）*Lehrbuch des Völkerrechts, Bd. 1*（de Gruyter）.［一又正雄訳『アンチロッチ国際法の基礎理論』（巖松堂）］
E. Giraud（1934）La théorie de la légitime défense, dans *Recueil des cours de l'Académie de droit international de La Haye, t. 49.*［名島芳訳『自衛の理論』（国会図書館調査立法考査局）］
H. Kelsen（1932）Unrecht und Unrechtsfolge im Völkerrecht, Sonderabdruck aus *Zeitschrift für öffentliches Recht* 12（4）.［「国際法における不法と不法効果」邦訳なし］
H. A. Smith（1975［1932］）*Great Britain and the law of nations: A selection of documents illustrating the views of the government in the United Kingdom upon matters of international law, vol. I*（Kraus Reprint）.［『英国と諸国民の法』邦訳なし］
A. von Verdross（1937）*Völkerrecht*（Springer）.［『国際法』邦訳なし］

第13、14章

ソ連除名関連国際連盟理事会議事録
League of Nations Official Journal, November/December 1939.

イタリア制裁関連国際連盟理事会議事録
League of Nations Official Journal, November 1935.

満州事変関連国際連盟理事会議事録

第V部

第11、12章

不戦条約交渉経緯（含条文案・交換公文）

D. H. Miller (1928) *The peace pact of Paris: A study of the Briand-Kellogg treaty* (Putnam's Sons).

1927年2月チェンバレン対国際連盟事務総長通告

H. A. Smith (1975 [1932]).

1927年4月25日　クーリッジ演説

https://www.presidency.ucsb.edu/documents/address-the-dinner-the-united-press-new-york-city-difficulties-with-mexico-nicaragua-and

1927年9月24日　国際連盟総会「侵略戦争に関する宣言」

http://digital.library.northwestern.edu/league/otcgi/digilib/llscgi60-a324.html

1928年4月28日　ケロッグ講演

American Journal of International Law 1928, 22 (2): 253-261.

1928年12月7・11日　米国上院外交委員会議事録

http://avalon.law.yale.edu/20th_century/kbhear.asp

1929年1月15日　米国上院外交委員会報告書

Advocate of Peace 1929, 91 (2): 90-91.

1929年4月25日　米国際法学会年次大会第四（不戦条約）セッション

Proceedings of the American Society of International Law 1929, 23: 88-109.

同年7月16日　英国政府公式回答
http://gallica.bnf.fr/ark:/12148/bpt6k5613159m
http://digital.library.northwestern.edu/league/otcgi/digilib/llscgi60-0aa2.html

1941年1月30日及び12月11日　ヒトラー演説
M. Domarus (1973) *Hitler: Reden und Proklamation 1932-1945, Bd. II, 2. Halbbd.* (Löwit).

1943年3月21日　リッベントロップ「欧州国家連合」創設構想
1943年9月9日　ドイツ外務省欧州委員会「17の指針」
1944年3月10日　フンク南東欧協会講演
W. Post (2011).

J. Benoist-Méchin (2011 [1984-1985]) *A l'épreuve du temps: Souvenirs* (Perrin). [『時代の試練に』邦訳なし]

C. Booker and R. North (2021 [2003]) *The great deception: The true story of Britain and the European Union* (Bloomsbury). [『大いなる欺瞞』邦訳なし]

R. N. Coudenhove-Kalergi (1923) *Pan-Europa* (Pan-Europa-Verlag). [鹿島守之助訳『パン・ヨーロッパ』(鹿島研究所)]

W. Funk et al. (1943 [1942]) *Europäische Wirtschaftsgemeinschaft* (Haude & Spener). [『欧州経済共同体』邦訳なし]

W. Post (2011) *Hitlers Europa: Die europäische Wirtschaftsgemeinschaft 1940-1945* (Druffel & Vowinckel). [『ヒトラーの欧州』邦訳なし]

T. Sarrazin (2012) *Europa braucht den Euro nicht: Wie uns politisches Wunschdenken in die Krise geführt hat* (DVA). [『欧州はユーロを必要としない』邦訳なし]

K. R. Röhl (2008［1994］) *Die letzten Tage der Republik von Weimar: Kommunisten und Nationalsozialisten im Berliner BVG-Streik von 1932* (Universitas).［『ワイマール共和国最後の日々』邦訳なし］

C. Schmitt (1928) *Verfassungslehre* (Duncker & Humblot).［尾吹善人訳『憲法理論』(創文社)］

C. Schmitt (1931) *Der Hüter der Verfassung* (Duncker & Humblot).［川北洋太郎訳『憲法の番人』(第一法規出版)］

C. Schmitt (1988［1934］) Der Führer schützt das Recht: Zur Reichstagsrede Adolf Hitlers vom 13. Juli 1934, in *Positionen und Begriffe: Im Kampf mit Weimar – Genf – Versailles 1923-1939* (Duncker & Humblot).［古賀敬太訳「総統は法を護持する」『カール・シュミット時事論文集』(風行社) 所収］

C. Striefler (1993) *Kampf um die Macht: Kommunisten und Nationalsozialisten am Ende der Weimarer Republik* (Propyläen).［『権力闘争』邦訳なし］

H. A. Winkler (2005［1993］) *Weimar 1918-1933: Die Geschichte der ersten deutschen Demokratie, 4. Aufl.* (C. H. Beck).［『ワイマール 1918-1933』邦訳なし］

第Ⅳ部

第9、10章

EU「欧州連合の歴史」
https://europa.eu/european-union/about-eu/history_en

1929年9月5日　ブリアン国際連盟総会演説
https://clio-texte.clionautes.org/Le-projet-Leger-Briand-dunion-federale-europeenne-1929-1930.html

1930年5月1日　フランス政府提出「欧州連合体制の組織に関するメモランダム」

Gesamtwerk (Antaios). [『エルンスト・ノルテとの対話』邦訳なし]

E. R. Huber (1981-1984) *Deutsche Verfassungsgeschichte seit 1789, Bde. VI und VII* (Kohlhammer). [『ドイツ憲法の歴史』邦訳なし]

H. Kelsen (1932 [2006]) Verteidigung der Demokratie, in M. Jestaedt und O. Lesius (Hrsg.) *Verteidigung der Demokratie: Abhandlungen zur Demokratietheorie* (Mohr Siebeck). [長尾龍一他訳「民主主義の擁護」『民主主義の本質と価値　他一篇』(岩波書店) 所収]

W. G. Krivitsky (2000 [1939]) *In Stalin's secret service: Memoirs of the first Soviet master spy to defect* (Enigma). [根岸隆夫訳『スターリン時代　元ソヴィエト諜報機関長の記録』(みすず書房)]

H. Mommsen (2001) Nichts Neues in der Reichstagsbrandkontroverse: Anmerkungen zu einer Donquichotterie, *Zeitschrift für Geschichtswissenschaft* 49 (8): 352-357. [「国会議事堂放火事件論争に新しいものなし」邦訳なし]

R. Morsey (2010 [1992]) *Das »Ermächtigungsgesetz« vom 24. März 1933: Quellen zur Geschichte und Interpretation des »Gesetzes zur Behebung der Not von Volk und Reich«* (Droste). [『1933 年 3 月 24 日授権法』邦訳なし]

P. Piccone and G. Ulmen (2002) Uses and abuses of Carl Schmitt, *Telos* 122: 3-32. [「カール・シュミットの利用と乱用」邦訳なし]

F.-K. von Plehwe (1983) *Reichskanzler Kurt von Schleicher: Weimars letzte Chance gegen Hitler* (Bechtle). [『宰相クルト・フォン・シュライヒャー』邦訳なし]

A. Ritschl und M. Spoerer (1997) Das Bruttosozialprodukt in Deutschland nach den amtlichen Volkseinkommens- und Sozialproduktsstatistiken 1901-1995, *Jahrbuch für Wirtschaftsgeschichte* 1997 (2): 27-54. [「公式統計に基づく 1901-1995 年ドイツ国民総生産」邦訳なし]

ン内戦』邦訳なし］

R. H. Whealey（1989）*Hitler and Spain: The Nazi role in the Spanish Civil War* (UP of Kentucky).［『ヒトラーとスペイン』邦訳なし］

第Ⅲ部

第6、7、8章

1925年11月22日　シュトレーゼマン演説

Vierteljahrshefte für Zeitgeschichte 1967, 15 (4): 416-436.

アデナウアー財団「ワイマール共和国総選挙結果」

https://www.kas.de/de/web/geschichte-der-cdu/wahlen-zum-reichtag-in-der-weimarer-republik-1919-1933-

G. Anschütz（1960［1933］）*Die Verfassung des Deutschen Reichs vom 11. August 1919, 14. Aufl.* (Herman Gentner).［『ドイツ国の憲法』邦訳なし］

L. Berthold（1999）*Carl Schmitt und der Staatsnotstandsplan am Ende der Weimarer Republik* (Duncker & Humblot).［『カール・シュミットとワイマール共和国末期の国家緊急事態計画』邦訳なし］

H. Brüning（1970）*Memoiren 1918-1934* (DVA).［佐瀬昌盛他訳『ブリューニング回顧録』（ぺりかん社)］

Z. Brzezinski（2016［1997］）*The grand chessboard: American primacy and its geostrategic imperatives* (Basic Books).［山岡洋一訳『ブレジンスキーの世界はこう動く』（日本経済新聞社)］

J. W. Falter（1991）*Hitlers Wähler* (C. H. Beck).［『ヒトラーを選んだ人々』邦訳なし］

E. Fraenkel（1932）Verfassungsreform und Sozialdemokratie, *Die Gesellschaft: Internationale Revue für Sozialismus und Politik* 9（12): 486-500.［「憲法改革と社会民主主義」邦訳なし］

S. Gerlich（2005）*Im Gespräch mit Ernst Nolte: Einblick in ein*

った』邦訳なし]

P. E. Gottfried (2016) *Fascism: The career of a concept* (NIU Press). [『ファシズム』邦訳なし]

B. Gross (1967) *Willi Münzenberg: Eine politische Biographie* (Büchergilde Gutenberg). [『ヴィリー・ミュンツェンベルク』邦訳なし]

J. E. Haynes et al. (2009) *Spies: The Rise and fall of the KGB in America* (Yale UP). [『スパイたち』邦訳なし]

W. Herrick (2001 [1998]) *Jumping the line: The adventures and misadventures of an American radical* (AK Press). [『列を越えて』邦訳なし]

S. Koch (1993) *Double Lives: Spies and writers in the secret Soviet war of ideas against the West* (Free Press). [『二重生活』邦訳なし]

W. G. Krivitsky (2000 [1939]) *In Stalin's secret service: Memoirs of the first Soviet master spy to defect* (Enigma). [根岸隆夫訳『スターリン時代　元ソヴィエト諜報機関長の記録』(みすず書房)]

P. Moa (2003) *Los mitos de la Guerra Civil* (La Esfera). [『スペイン内戦の神話』邦訳なし]

P. Moa (2014) *La Guerra Civil Española (1.936-1.939): Un análisis crítico* (Fajardo el Bravo). [『スペイン内戦 (1936-1939)』邦訳なし]

J. Ortega y Gasset (1938) Concerning pacifism, *Nineteenth Century* 124: 20-34. [木庭宏訳「平和主義考」『オルテガ　随想と翻訳』(松籟社) 所収]

G. Orwell (1966 [1938]) *Homage to Catalonia* (Penguin). [橋口稔訳『カタロニア讃歌』(筑摩書房)]

S. G. Payne (2011) *Civil war in Europe, 1905-1949* (Cambridge UP). [『欧州の内戦　1905-1949年』邦訳なし]

S. G. Payne (2012) *The Spanish Civil War* (Cambridge UP). [『スペイ

い巨人』邦訳なし]

B. Schumacher (2008) *Die Zerstöruing deutscher Städte im Luftkrieg: „Morale Bombing“ im Visier von Völkerrecht, Moral und Erinnerungskultur* (Ares Verlag). [『空戦におけるドイツ都市の破壊』邦訳なし]

J. M. Spaight (1930) *Air power and the cities* (Longmans). [『空軍と都市』邦訳なし]

J. M. Spaight (1944) *Bombing vindicated* (Geoffrey Bles). [『爆撃は正しい』邦訳なし]

J. M. Spaight (1947 [1924]) *Air power and war rights, 3rd ed.* (Longmans). [『空軍と戦争法』邦訳なし]

C. Webster and N. Frankland (2006 [1961]) *The strategic air offensive against Germany 1939-1945, vol. III* (Naval & Military Press). [『対独戦略航空攻撃』邦訳なし]

第5章

ウィルソン・センター「ヴァシリエフ・ノート」

http://digitalarchive.wilsoncenter.org/collection/86/vassiliev-notebooks

スペイン官報「歴史記憶法」

https://www.boe.es/boe/dias/2007/12/27/pdfs/A53410-53416.pdf

色摩力夫 (2000)『フランコ　スペイン現代史の迷路』(中央公論新社)

B. Bolloten (1961) *The grand camouflage: The communist conspiracy in the Spanish Civil War* (Hollis & Carter). [『大いなるカムフラージュ』邦訳なし]

B. Bolloten (1991) *The Spanish Civil War: Revolution and counterrevolution* (U. of North Carolina Press). [渡利三郎訳『スペイン内戦　革命と反革命』(晶文社)]

J. M. Gil-Robles (1968) *No fue posible la paz* (Ariel). [『平和は不可能だ

Foreign & Commonwealth Office (2002) *Churchill and Stalin: Documents from the British Archives.*

田岡良一（1937）『空襲と国際法』（巌松堂）

田岡良一（1939）『国際法学大綱（下）』（巌松堂）

中村菊男（編）（1969）『昭和海軍秘史』（番町書房）

B. J. Bernstein (1993) Seizing the contested terrain of early nuclear history: Stimson, Conant, and their allies explain the decision to use the atomic bomb, *Diplomatic History* 17 (1): 35-72.［「核の初期の歴史における論争点」邦訳なし］

B. J. Bernstein (1995a) Understanding the atomic bomb and the Japanese surrender: Missed opportunities, little-known near disasters, and modern memory, *Diplomatic History* 19 (2): 227-273.［「原爆と日本降伏の検討」邦訳なし］

B. J. Bernstein (1995b) The Atomic bombings reconsidered, *Foreign Affairs* 74 (1): 135-152.［「原爆投下再考」邦訳なし］

B. Collier (1957［2004］) *The defence of the United Kingdom* (Naval & Military Press).［『連合王国の防衛』邦訳なし］

J. Friedrich (2002) *Der Brand: Deutschland im Bombenkrieg 1940-1945* (Ullstein).［香月恵里訳『ドイツを焼いた戦略爆撃　1940-1945』（みすず書房）］

A. C. Grayling (2006) *Among the dead cities: Is the targeting of civilians in war ever justified?* (Bloomsbury).［鈴木主税他訳『大空襲と原爆は本当に必要だったのか』（河出書房新社）］

H. Maurer (1941) *The end is not yet: China at war* (National Travel Club).［『まだ終わっていない』邦訳なし］

R. Raico (2010) *Great wars and great leaders: A libertarian rebuttal* (Mises Institute).［『偉大な戦争と偉大な指導者』邦訳なし］

N. Rose (1995) *Churchill: The unruly giant* (Free Press).［『手におえな

H.-H. Abendroth (1987) Guernica: Ein fragwürdiges Symbol, *Militärgeschichtliche Mitteilungen* 41 (1): 111-126. [「ゲルニカ　疑わしいシンボル」邦訳なし]

A. Blunt (1969) *Picasso's 'Guernica'* (Oxford UP). [荒井信一訳『ピカソ〈ゲルニカ〉の誕生』(みすず書房)]

H. Boog (1998) Bombenkrieg, Völkerrecht und Menschlichkeit im Luftkrieg, in H. Poeppel et al. (Hrsg.) *Die Solderten der Wehrmacht* (Herbig). [「爆撃戦、国際法及び空戦における人間性」『ドイツ国防軍の兵士たち』所収、邦訳なし]

J. S. Corum (1995) The Luftwaffe and the coalition air war in Spain, 1936-1939, *Journal of Strategic Studies* 18 (1): 68-90. [「スペインでのドイツ空軍と空戦の連携」邦訳なし]

H. Hagena (2008) *Jagdflieger Werner Mölders: Die Würde des Menschen reicht über den Tod hinaus* (Helios). [『戦闘機乗りウェルナー・メルダース』邦訳なし]

K. A. Maier (1975) *Guernica 26.4.1937: Die deutsche Intervention in Spanien und der »Fall Guernica«* (Rombach). [『ゲルニカ　1937年4月26日』邦訳なし]

S. G. Payne (2012) *The Spanish Civil War* (Cambridge UP). [『スペイン内戦』邦訳なし]

J. M. Salas Larrazábal (1987) *Guernica* (RIALP). [『ゲルニカ』邦訳なし]

R. Salas Larrazábal (2006 [1973]) *Historia del Ejército Popular de la República, vol. I* (La Esfera). [『共和国軍の歴史』邦訳なし]

第4章

1940年6月14日　日本政府重慶避難勧告外務省情報部長談

『外交時報』1940年7月11日号

1942年8月12日　英ソ首脳会談

М.В. Музалевский (2014［2009-2010］) *Почетные чекисты, Том 2 : 1932–1939* (РИЦ «Кавалеръ»). [『栄光のチェキスト』邦訳なし]

Э. П. Шарапов (2003) *Наум Эйтингон – Карающий меч Сталина* (Нева). [『ナウム・エイチンゴン　スターリンの懲罰の剣』邦訳なし]

第2章

坂本多加雄 (2001)『求められる国家』(小学館)

西原征夫 (1980)『全記録ハルビン特務機関　関東軍情報部の軌跡』(毎日新聞社)

H. Kuromiya (2011) The mystery of Nomonhan, 1939, *Journal of Slavic Military Studies* 24 (4): 659-677. [「ノモンハンの謎」邦訳なし]

H. Kuromiya (2014) Ataman Semenov's secret life, *Przegląd Wschodni* 13 (2): 535-556. [「アタマン・セミョーノフの隠された人生」邦訳なし]

П. Балакшин (2013［1958-1959］) *Финал в Китае: Возникновение, развитие и исчезновение белой эмиграции на Дальнем Востоке* (Государственная публичная историческая библиотека России). [『中国でのフィナーレ』邦訳なし]

В. Р. Мединский (2016［2011］) *Война: Мифы СССР 1939-1945* (Олма). [『戦争　ソ連の神話 1939-1945』邦訳なし]

В. Р. Мединский (2016) *Россия никогда не сдавалась: Мифы войны и мира* (Книжный мир). [『ロシアは一度も敗れたことがない』邦訳なし]

Г. М. Семенов (2007［1938］) *О себе: Воспоминания, мысли и выводы 1904-1921* (Центрполиграф). [『セミョーノフ自叙伝』邦訳なし]

第Ⅱ部

第3章

1939 年 1 月 16 日　国際連盟スペイン空爆調査委員会報告書

League of Nations Official Journal, January 1939.

須藤哲生 (2004)『ピカソと闘牛』(水声社)

C. B. Mohr); (2004, C. H. Beck).［大塚久雄訳『プロテスタンティズムの倫理と資本主義の精神』（岩波書店）；中山元訳（日経 BP）］

第Ⅰ部

第１章

ロシア大統領図書館「赤旗勲章」、「レーニン勲章・赤星勲章」
http://www.prlib.ru/history/619544
http://www.prlib.ru/history/619149

加藤康男（2011）『謎解き「張作霖爆殺事件」』（PHP 研究所）

J. Chang and J. Halliday (2005) *Mao: The unknown story* (Vintage).［土屋京子訳『マオ　誰も知らなかった毛沢東』（講談社）］

J. Costello and O. Tsarev (1993) *Deadly illusions* (Crown).［『致命的な幻想』邦訳なし］

H. Kuromiya (2016) The battle of Lake Khasan reconsidered, *Journal of Slavic Military Studies* 29 (1): 99-109.［「張鼓峰事件再検討」邦訳なし］

F.-K. von Plehwe (1983) *Reichskanzler Kurt von Schleicher: Weimars letzte Chance gegen Hitler* (Bechtle).［『宰相クルト・フォン・シュライヒャー』邦訳なし］

P. and A. Sudoplatov (1995［1994］) *Special tasks* (Little Brown).［П. Судоплатов (1997) *Спецоперации: Лубянка и Кремль 1930-1950 годы* (Олма-Пресс).［木村明生監訳『KGB 衝撃の秘密工作』（ほるぷ出版）］

M.-K. Wilmers (2009) *The Eitingons: A twentieth-century story* (Faber and Faber).［『エイチンゴン一族』邦訳なし］

Д. Волкогонов (2011［1992］) *Троцкий «Демон революции»* (ЭКСМО).［生田真司訳『トロツキー　その政治的肖像』（朝日新聞出版）］

А. И. Колпакиди и Д.П.Прохоров (1999) *Империя ГРУ: Очерки истории российской военной разведки* (ОЛМА-ПРЕСС).［『GRU 帝国』邦訳なし］

主な参照文献

序章

寺西重郎（2014）『経済行動と宗教』（勁草書房）

G. Becker（1997）Replication and reanalysis of Offenbacher's school enrollment study: Implications for the Weber and Merton theses, *Journal for the Scientific Study of Religion* 36 (4): 483-496.［「オッフェンバッハー学校選択研究再検討」邦訳なし］

G. Becker（2000）Educational "preference" of German Protestants and Catholics: The politics behind educational specialization, *Review of Religious Research* 41 (3): 311-327.［「独プロテスタント・カトリックの教育『選好』」邦訳なし］

G. Becker（2009）The Continuing path of distortion, *Acta Sociologica* 52 (3): 195-212.［「継続する歪曲」邦訳なし］

H. T. Buckle（1857）*History of civilization in England* (J. W. Parker).［土居光華他訳『英国文明史』（宝文閣）］

R. F. Hamilton（1996）*The Social misconstruction of reality* (Yale UP).［『現実の社会的誤構築』邦訳なし］

W. L. Mathieson（1902）*Politics and religion* (J. Maclehose).［『政治と宗教』邦訳なし］

M. Offenbacher（1900）*Konfession und soziale Schchtung* (J. C. B. Mohr).［『信仰と社会層分化』邦訳なし］

K. Samuelsson（1993［1957］）*Religion and economic action* (U. of Toronto Press).［田村光三他訳『経済と宗教』（ミネルヴァ書房）］.

J. Viner（1978）*Religious thought and economic society* (Duke UP).［久保芳和他訳『キリスト教思想と経済社会』（嵯峨野書院）］

M. Weber（1920［1904］）Die protestantische Ethik und der Geist des Kapitalismus, *Gesammelte Aufsätze zur Religionssoziologie*, Bd. 1 (J.

本書は、２０１７年７月、小社から単行本で刊行された『日本人が知らない最先端の「世界史」２』を改題し、雑誌「正論」の連載「世界の『歴史』最前線」第27回・28回を収録し文庫化したものです。

祥伝社黄金文庫

日本人《にほんじん》が知《し》らない最先端《さいせんたん》の「世界史《せかいし》」不都合《ふつごう》な真実編《しんじつへん》

令和 3 年10月20日　初版第1刷発行

著　者　福井義高《ふくいよしたか》
発行者　辻　浩明
発行所　祥伝社《しょうでんしゃ》
〒101－8701
東京都千代田区神田神保町3－3
電話　03（3265）2084（編集部）
電話　03（3265）2081（販売部）
電話　03（3265）3622（業務部）
www.shodensha.co.jp
印刷所　萩原印刷
製本所　ナショナル製本

Printed in Japan　© 2021, Yoshitaka Fukui　ISBN978-4-396-31814-7 C0120